W9-AXS-075

Grandes Aventuras

EDGAR RICE BURROUGHS

Nació en Chicago en 1875. Después de haber sido soldado, policía, minero, cowboy y tendero, sus relatos de Tarzán y Ciencia - Ficción lo convirtieron en un novelista de Best Sellers.

Comenzó con *Tarzán de los Monos.* Su éxito fue tal que Burroughs se constituyó en compañía anónima y dos ciudades llevan su nombre. Burroughs escribió más de sesenta libros y ganó una fortuna. En cierta ocasión declaró: “La mayor parte de los relatos que he escrito me los he contado a mí mismo antes de dormirme.”

En 1940, se habían vendido más de 25 millones de ejemplares de sus aventuras en 56 idiomas. Burroughs murió en 1950.

EDGAR RICE BURROUGHS

TARZAN DE LOS MONOS

Título original: TARZAN OF THE APES
Traducción: Leopoldo Rodríguez Regueira

© 1912, Frank A. Munsey Company
© 1982, Edgar Rice Burroughs, Inc.
© Ediciones Montena, S.A.
© Editorial La Oveja Negra Ltda.
y R.B.A. Proyectos Editoriales, S.A., 1984

Traducción cedida por Ediciones Montena, S.A.

ISBN: 84-8280-700-5 (Obra completa)
ISBN: 84-8280-714-5

Impreso en Colombia
Printed in Colombia.

1. EN EL MAR

Esta historia me la contó alguien que no tenía necesidad de contármela, ni a mí, ni a nadie. Achaco el que empezara a contarla a los efectos que un añejo mosto ejercían sobre el narrador y a mi escepticismo durante la narración, lo cual hizo que siguiera relatando la extraña historia.

Cuando mi acompañante se dio cuenta de lo mucho que me había contado y de que yo seguía dudando, su estúpido orgullo se hizo cargo de la tarea que el viejo mosto había llevado a cabo y me mostró un viejo y mohoso manuscrito y unos documentos de la Oficina Colonial Británica para demostrar los hechos más sobresalientes de su extraño relato.

No quiero con esto asegurar que la historia sea verídica, porque yo no fui testigo de los sucesos, pero el hecho de que al relatarla utilice nombres falsos para los personajes centrales demuestra que, en mi opinión, la historia *pudo haber* sucedido realmente.

Las amarillentas y apolilladas páginas del diario de un hombre muerto hace mucho tiempo y los documentos de la Oficina Colonial concordaban perfectamente con la historia de mi interlocutor. La historia que presento aquí la he recopilado, con gran esfuerzo, de las distintas fuentes de información que he tenido.

Posiblemente no les parezca creíble, pero tendrán que reconocer que es única, extraordinaria e interesante.

Por los documentos de la Oficina Colonial y por el diario del muerto, sabemos que cierto joven noble inglés, a quien llamaremos John Clayton, Lord Greystoke, fue encargado de llevar a cabo una delicada investigación sobre la situación de una colonia británica de Africa Occidental, en la que se sabía que otra potencia europea estaba reclutando indígenas para su ejército colonial, que solamente utilizaba para expoliar el caucho y el marfil de las tribus salvajes de las riberas del Congo y del Aruwimi.

Los indígenas de la colonia británica se habían quejado de que sus jóvenes eran reclutados por medio de atractivas promesas, pero que muy pocos o ninguno volvía.

Los ingleses de Africa eran aún más explícitos, diciendo que los infortunados negros eran retenidos en auténtico régimen de esclavitud y que cuando su tiempo de servicio expiraba, los oficiales blancos, aprovechándose de su ignorancia, les decían que aún les quedaban varios años de servicio.

La Oficina Colonial nombró a John Clayton para un nuevo cargo en el Africa Occidental Británica, dándole instrucciones secretas para que llevara a cabo una completa investigación sobre la explotación a que eran sometidos los súbditos británicos negros por parte de los oficiales de una potencia europea amiga. Sin embargo, el motivo del nombramiento tiene poco interés en nuestra historia, porque no solamente no llevó a cabo la investigación, sino que ni siquiera llegó a su destino.

Clayton era el tipo de inglés que se suele asociar con las grandes hazañas históricas en campos de batalla victoriosos. Era un hombre fuerte y viril —mental, moral y físicamente.

Su estatura era superior a la normal; sus ojos grises, sus facciones agradables y enérgicas; su físico era perfecto y robusto, debido a los años de adiestramiento militar.

Sus aspiraciones políticas le habían hecho solicitar su traslado del Ejército a la Oficina Colonial, donde lo encontramos ahora, todavía joven, encargado de una importante y delicada misión al servicio de la Reina.

Al recibir el nombramiento, sintió entusiasmo y al mismo tiempo pesadumbre. El ascenso le pareció una bien merecida recompensa a sus esfuerzos y a su impecable carrera, además de ser una base para puestos de mayor importancia y responsabilidad; pero, por otra parte, se acababa de casar con la honorable Alice Rutheford no hacía tres meses, y le abrumaba la idea de arrastrar a su joven y bella esposa hacia desconocidos peligros, condenándola al aislamiento del Africa tropical.

Por ella hubiera rechazado el nombramiento, pero Lady Alice no lo consintió. Al contrario, insistió en que aceptara y que la llevara con él.

Madres, hermanos, tíos y primos también dieron su opinión al respecto aunque sobre ello la historia guarda silencio.

Lo único que sabemos es que una soleada mañana de mayo de 1888, Lord Greystoke y Lady Alice embarcaron en Dover camino de Africa.

Un mes más tarde, llegaron a Freetown donde fletaron un pequeño velero, el *Fuwalda,* que los llevaría a su destino.

Desde este momento, Lord Greystoke, y su esposa, desaparecieron sin dejar rastro de su existencia.

Dos meses después de su partida de Freetown, media docena de barcos de guerra británicos recorrieron el Atlántico sur en busca del pequeño velero y de sus ocupantes, e inmediatamente encontraron los restos del naufragio en las costas de Santa Helena. Lo ocurrido convenció a todo el mundo de que el *Fuwalda* se había hundido con todos los de a bordo y la búsqueda fue suspendida cuando apenas comenzaba; la esperanza, sin embargo, siguió anidando en muchos corazones durante años.

El *Fuwalda,* una goleta de unas cien toneladas, era uno de esos veleros típicos que se dedicaban al tráfico costero en el Atlántico sur. Sus tripulaciones estaban formadas por la escoria de los mares, asesinos, fugitivos y forajidos de todas las razas y nacionalidades.

El *Fuwalda* no era la excepción a la regla. Sus oficiales eran tipos violentos, que odiaban y eran odiados por toda la tripulación. El capitán, un marino competente, trataba a sus hombres con brutalidad. No conocía, o por lo menos no utilizaba, más que dos argumentos para tratar con ellos —el látigo y el revólver— aunque por otra parte, es probable que aquella ralea tampoco entendiera otro lenguaje.

A partir del segundo día de navegación, John Clayton y su joven esposa fueron testigos, a bordo del *Fuwalda,* de escenas que nunca hubieran creído pudieran darse fuera de las leyendas de aventuras marinas.

Fue en la mañana del segundo día cuando se empezó a forjar la cadena de circunstancias que darían lugar a lo que fue la existencia de un ser aún no nacido y sin paralelo en la historia de la humanidad.

Dos marineros estaban limpiando la cubierta del *Fuwalda,* el primer oficial estaba de guardia y el capitan se había acercado a hablar con John Clayton y Lady Alice.

Los hombres trabajaban de espaldas al pequeño grupo que miraba hacia otra parte. Poco a poco se fueron acercando hasta que uno de ellos se encontró justo detrás del capitán. En unos segundos lo habría dejado atrás y no habría sucedido nada.

Pero en ese momento el capitán dio la vuelta, para despedirse de Lord y Lady Greystoke y, al hacerlo, tropezó con el marinero, cayendo cuan largo era sobre la cubierta, volcando el cubo y empapándose con su sucio contenido.

Durante unos instantes la escena resultó ridícula; pero solamente unos instantes. Lanzando una lluvia de improperios, la cara congestionada de humillación y rabia, el capitán se puso en pie y de un terrible puñetazo tiró al marinero de espaldas.

El hombre era de constitución débil y bastante viejo, lo que acentuó la brutalidad del hecho. Sin embargo, el otro marinero no era ni viejo, ni débil, era una especie de hombre oso con expresión fiera y un potente cuello de toro asentado en medio de dos masivos hombros.

Al ver caer a su compañero, inclinó un poco el cuerpo y con un gruñido sordo se abalanzó sobre el capitán haciéndolo caer de rodillas de un solo y fortísimo golpe.

La cara del capitán se puso primero roja y después blanca; aquello era un motín, y él ya se había enfrentado anteriormente a otros y los había dominado a su brutal manera. Sin tomarse la molestia de ponerse en pie, sacó un revólver del bolsillo y disparó contra la gran montaña de músculos que se alzaba ante él; pero aún siendo rápido, John Clayton lo fue más y la bala que iba destinada al corazón del marinero se clavó en su pierna, porque Lord Greystoke había golpeado el brazo del capitán hacia abajo al ver brillar el arma con el sol.

Hubo un intercambio de palabras entre Clayton y el capitán, dejando claro el primero su desagrado por la brutalidad con que era tratada la tripulación y manifestando que mientras él y Lady Greystoke estuvieran a bordo no la toleraría.

El capitán iba a responderle bruscamente, pero, pensándolo mejor, dio media vuelta y se fue conteniendo la ira.

No se atrevía a enfrentarse a un oficial inglés, porque el brazo de la Reina disponía de un instrumento punitivo implacable que él conocía bien y que temía, el amplio radio de acción de la armada inglesa.

Los dos marineros se levantaron y el viejo ayudó a su camarada herido. El colosal marinero, conocido entre sus compañeros como Black Michael *(Miguel el Negro)*, probó la resistencia de la pierna herida y viendo que soportaba su peso, se volvió hacia Clayton y le dio rudamente las gracias.

Aunque su tono era desagradable, sus palabras eran sinceras. Después de haber soltado su corta parrafada de agradecimiento, dio la vuelta y se fue cojeando hacia el castillo de proa con la evidente intención de evitar la conversación.

No lo vieron durante varios días, ni el capitán volvió a dirigirse a ellos más que cuando, con tono rencoroso, tenía que comunicarles algo.

Seguían comiendo en el camarote del capitán, igual que antes del desafortunado incidente, pero éste tenía buen cuidado de que sus obligaciones nunca le permitieran comer al mismo tiempo que ellos.

El resto de los oficiales eran individuos incultos y embrutecidos, poco mejores que la canallesca tripulación que mandaban, y trataban por todos los medios de evitar toda relación social con el refinado noble inglés y su esposa, por lo que los Clayton pasaban el tiempo prácticamente solos.

Esto, en cierto modo, era lo que deseaban, pero por otra parte los aislaba de la vida diaria del pequeño velero y eso impidió que estuvieran al tanto de los acontecimientos que pronto provocarían la sangrienta tragedia.

En el ambiente del barco se respiraba ese algo indefinido que precede al desastre. Fuera, a los Clayton les daba la impresión de que todo seguía igual; pero ambos presentían que había una marejada de fondo y que los amenazaba un peligro desconocido, aunque no hablaban de ello.

Dos días después del incidente con Black Michael, Clayton subió a cubierta en el momento en que el inerte cuerpo de un marinero era llevado a la bodega por cuatro de sus compañeros en tanto que el primer oficial, con un terrible látigo en la mano, vigilaba los movimientos del pequeño grupo de huraños marineros.

Clayton no hizo preguntas —no necesitaba hacerlas— y al día siguiente, al percibir en el horizonte la silueta de un barco de guerra británico, decidió solicitar que él y Lady Alice fueran transportados a él, porque intuía que su permanencia en el pequeño velero *Fuwalda* solamente les ocasionaría daños.

Al atardecer se encontraban a poca distancia del barco británico pero en el momento en que Clayton le iba a pedir al capitán que los trasladaran, pensó en lo ridículo de tal petición. ¿Qué excusas podría darle al capitán del barco de su Majestad para que los llevara de vuelta al lugar de procedencia?

¿Qué sucedería si le contaba que dos marineros insubordinados habían sido castigados duramente por los oficiales? Se reirían de él y atribuirían su deseo de volver solamente a una cosa: cobardía.

John Clayton, Lord Greystoke, no pidió ser trasladado al otro barco. Al anochecer vio desaparecer su silueta en el horizonte. Pero fue más tarde cuando se enteró de algo que confirmó sus temores y que le hizo maldecir el estúpido honor que le había impedido solicitar la seguridad para su joven esposa unas horas antes, cuando aún tenían la salvación a mano —una salvación que ahora se había ido para siempre.

Esa noche, el marinero que unos días antes había sido derribado por el capitán, se acercó al lugar donde Clayton y su esposa observaban la marcha del buque de guerra. El viejo estaba sacando brillo a la barandilla de cubierta y cuando llegó a su lado les dijo en voz baja:

"En este barco se va a desatar el infierno, señor, hágame caso. Se va a desatar el infierno".

"¿Cómo dice, buen hombre?" preguntó Clayton.

"¿Cómo, señor? ¿No se ha enterado de lo que pasa en el barco? ¿No ha oído que ese endemoniado capitán y sus oficiales están acabando con la tripulación? Ayer le rompieron la cabeza a dos y hoy a tres. Black Michael está como nuevo otra vez y no es de la clase de hombres que aguanten esas cosas. ¡Se lo aseguro!"

"¿Quiere usted decir que la tripulación está pensando en amotinarse?", preguntó Clayton.

"¡Un motín!" exclamó el marinero. "Se amotinarán. Quieren matar señor. se lo aseguro".

"¿Cuándo?".

"Pronto, señor, pronto. No voy a decir cuando porque ya he hablado demasiado, pero usted se portó bien el otro día y consideré que debía avisarle. Pero cierre la boca, señor, y cuando oiga disparos enciérrese en su camarote y no salga de él. No le digo más, pero guarde silencio o le meterán una bala entre las costillas, se lo aseguro, señor". El viejo marinero continuó haciendo su trabajo y se fue alejando poco a poco del lugar en que estaban los Clayton.

"La perspectiva no es muy agradable, Alice" dijo Clayton.

"Deberías avisar al capitán enseguida, John. A lo mejor aún hay tiempo de evitar la catástrofe", dijo ella.

"Sí, pero por motivos muy particulares estoy casi tentado de no hacerlo. Hagan lo que hagan, a nosotros nos respetarán, en agradecimiento por mi defensa de ese Black Michael. Más si se enteran de que los he traicionado, no tendrán consideración con nosotros, Alice".

"Tu obligación es apoyar a la autoridad establecida, John. Si no avisas al capitán te conviertes en cómplice de lo que suceda, igual que si formaras parte del motín".

"¿No lo comprendes, cariño?", replicó Clayton, "mi primera obligación es pensar en tí. El capitán se ha buscado todo esto él solo, ¿por qué razón voy a arriesgar mi vida y exponerte a tí a horrores impensables en un intento, quizás inútil, de salvarlo de su brutal locura? Cariño, no tienes ni idea de lo que puede suceder, si esa banda de energúmenos toma posesión del *Fuwalda*".

"El deber es el deber, John, y por mucho que lo intentes no lograrás convencerme. No sería digna de ser esposa de un lord inglés si por mi culpa no cumpliera con su deber. Me doy perfecta cuenta del peligro que corremos, pero lo afrontaré contigo".

"Sea como quieres, Alice," contestó él, sonriendo. "Quizás nos estemos buscando problemas. A mí no me gusta lo que sucede en este barco, pero es posible que, después de todo, no sea tan malo. Probablemente el viejo marinero no hacía más que dar rienda suelta a los deseos de su envilecido ser y no hablaba en serio. "Los motines pudieron haber sido cosa corriente hace cien años, pero en 1888 no me los imagino. ¡Ahí va el capitán a su camarote! Si he de avisarle, será mejor que lo haga ahora, sin pensarlo más. Me molesta sobre manera sólo de pensar en hablar con ese salvaje".

Diciendo esto se dirigió parsimoniosamente hacia la puerta por la que había entrado el capitán y poco después llamaba a ella.

"Pase," gruñó la desagradable voz del brutal oficial.

Clayton entró, cerrando la puerta tras de sí.

"¿En qué puedo servirle?"

"Venía a comunicarle los rumores de una conversación que he oído casualmente, porque creo que, aunque no sean más que rumores, debe estar prevenido. En una palabra, parece que la tripulación intenta amotinarse y matarlo a usted y a sus oficiales."

"¡Eso es una patraña", rugió el capitán, "y si usted se ha vuelto a inmiscuir en la disciplina de este barco o se ha metido en cosas que no le conciernen, debe atenerse a las consecuencias! Me importa un bledo que usted sea un lord inglés. Yo soy el capitán de este barco y le aconsejo que deje de meter su curiosa nariz en mis asuntos".

El capitán se había enfurecido de tal modo que tenía la cara congestionada. Las últimas palabras las había gritado con toda la fuerza de sus pulmones mientras golpeaba la mesa con un puño y blandía el otro delante de la cara de Clayton.

Lord Greystoke no se inmutó, se limitó a mirar fijamente al excitado individuo.

"Capitán Billings", dijo finalmente, "perdone mi franqueza, pero es usted un animal".

A continuación dio media vuelta y abandonó al capitán con su habitual despreocupación que esta vez exageró a sabiendas de que ella encolerizaría más a un hombre como Billings que una sarta de invectivas.

De haberlo intentado, Clayton habría podido aplacarlo y hacer que se arrepintiera de sus palabras, pero lo dejó allí con un creciente y endemoniado mal humor, perdiendo así la última oportunidad de poder colaborar juntos en bien de la seguridad de todos.

"Bueno, Alice," dijo Clayton al reunirse con su esposa, "pude haberme ahorrado el trabajo. El tipo resultó ser un desagradecido. Le faltó poco para abalanzárseme como un perro rabioso. "Por lo que a mí respecta, pueden irse a paseo él y su maldito barco; de ahora en adelante de lo único que me preocuparé será de nuestra seguridad personal. Creo que lo mejor que podemos hacer en primer lugar es ir a nuestro camarote y revisar mis revólveres. Ahora me arrepiento de haber embalado los rifles y la munición con el equipaje de la bodega".

Cuando llegaron a su camarote lo encontraron en completo desorden. La ropa había sido sacada de cajas y maletas y regada por todas partes, incluso las camas habían sido destrozadas.

"Parece ser que había otra persona interesada en nuestras cosas," dijo Clayton. "Alice, vamos a echar un vistazo para saber lo que falta".

Tras un detenido exámen constataron que lo único que faltaba eran los dos revólveres y la poca munición que Clayton había reservado para ellos.

"Esas son precisamente las cosas que menos hubiera deseado que se llevaran y el hecho de que hubieran venido única y exclusivamente a por ellos me hace presentir lo peor", dijo Clayton.

"¿Qué haremos, John?", preguntó su esposa. "Quizás tenías razón al decir que nuestra única oportunidad está en permanecer neutrales".

"Si los oficiales dominan el motín, no tenemos nada que temer y con los amotinados nuestra esperanza está en no haber estropeado sus planes ni enfrentarnos a ellos. Sí, Alice. Nos mantendremos a distancia de los acontecimientos".

Cuando estaban arreglando el camarote, Clayton y su esposa vieron un trozo de papel que asomaba por debajo de la puerta. Al intentar cogerlo, Clayton se sorprendió al ver que se movía hacia adentro y se dio cuenta de que alguien lo estaba introduciendo desde el exterior.

Con movimientos rápidos y silenciosos se dirigió hacia la puerta, pero al ir a girar el pomo para abrirla, su esposa lo detuvo.

"No, John", susurró. "No quiere que lo vean y no debemos hacerlo. No te olvides que vamos a mantenernos al margen".

Clayton sonrió y retiró la mano. Esperaron hasta que el papel quedó inmóvil dentro del camarote.

Entonces Clayton se agachó y lo recogió. Era un trozo de papel sucio doblado en cuatro. Al abrirlo vieron que se trataba de un mensaje casi ilegible, escrito seguramente por una mano poco experta. Les advertía que no informaran de la falta de los revólveres ni sobre lo que les había dicho el viejo —¡bajo pena de muerte!

"Me imagino que tendremos que ser buenos", dijo Clayton sonriendo amargamente. "Lo único que podemos hacer es sentarnos a esperar los acontecimientos".

2. EL HOGAR EN LA SELVA

No tuvieron mucho que esperar, porque a la mañana siguiente, cuando Clayton salió a cubierta para su acostumbrado paseo antes del desayuno, se oyó un disparo y después otro, y otro.

El panorama que se le ofrecía confirmó todos sus temores. Enfrentándose al reducido grupo de oficiales, se hallaba toda la tripulación del *Fuwalda,* y a su frente estaba Black Michael.

A la primera ráfaga de disparos de los oficiales los hombres corrieron en busca de refugio, y desde atrás de los mástiles, de la timonera y de la cabina devolvieron el fuego a los cinco hombres que representaban la odiada autoridad del barco.

Dos de ellos habían caído bajo las balas del capitán. Estaban en el mismo sitio donde habían sido alcanzados. El primer oficial fue abatido, y entonces al grito de ataque de Blak Michael los amotinados cargaron contra los cuatro restantes. La tripulación no había conseguido más que seis armas de fuego por lo que la mayoría estaba armada con garfios, hachas, machetes y martillos.

El capitán había vaciado su revólver y lo estaba cargando en el momento del ataque. El arma del segundo oficial se había encasquillado; y sólo disponían, pues, de otras dos armas para enfrentarse a los amotinados quienes arremetían en furiosa avalancha contra los oficiales.

De ambos bandos se oían juramentos y maldiciones, lo cual, sumado a las detonaciones y a los gritos y quejas de los heridos, daba la impresión de que la cubierta del *Fuwalda* se había convertido en una casa de locos.

Antes de que los oficiales hubieran retrocedido una docena de pasos, los hombres estaban encima de ellos. El hacha de un fornido negro abrió la cabeza del capitán hasta la mandíbula y pocos momentos después los demás eran vencidos, muertos o heridos por docenas de golpes y heridas de bala.

La hazaña de los amotinados del *Fuwalda* había sido corta y sangrienta, y durante todo el tiempo, John Clayton había estado reclinado descuidadamente contra la escalerilla fumando meditabundo como quien contempla un partido de cricket.

Cuando vio caer al último oficial, pensó que era mejor irse al camarote antes de que alguno de la tripulación encontrara sola a su esposa.

Aunque aparentemente sereno e indiferente, Clayton estaba interiormente temeroso e intranquilo porque temía la suerte que podía correr su esposa en manos de aquellos brutos semisalvajes a cuya merced se encontraban ahora.

Cuando dio la vuelta para bajar por la escalerilla, se sorprendió al ver a su esposa casi a su lado.

"¿Cuánto tiempo llevas aquí, Alice?"

"Desde el principio", contestó ella. "Fue horrible, John. ¡Oh, fue horrible! ¿Qué podemos esperar de una gente así?"

"Que nos traigan el desayuno," contestó él sonriendo, para tratar de animarla. "Por lo menos eso es lo que les voy a pedir", añadió. "Vamos, Alice, no debemos hacerles creer que tememos ser maltratados".

Los hombres habían rodeado a los oficiales muertos y heridos y sin mostrar compasión alguna procedieron a arrojar por la borda a vivos y muertos. Con igual imparcialidad se deshicieron de sus propios muertos y moribundos.

En ese momento uno de los tripulantes vio acercarse a los Clayton y al grito de: "¡Ahí tenemos otros dos para alimentar a los peces!" se abalanzó sobre ellos con el hacha en alto.

Pero Black Michael con igual rapidez disparó sobre él antes de que pudiera dar media docena de pasos.

Con un grito brutal, Black Michael llamó la atención de todos y señalando a Lord y a Lady Greystoke dijo:

"Esos son mis amigos, y no quiero que se les moleste ¿Entendido? Ahora soy el capitán de este barco y se hará lo que yo diga", añadió volviéndose hacia Clayton y mirando amenazadoramente a sus compañeros dijo: "Váyanse a su camarote y nadie les molestará".

Los Clayton obedecieron las instrucciones de Black Michael hasta el punto de que casi no volvieron a ver a nadie de la tripulación ni se enteraron de sus planes.

De vez en cuando oían rumores lejanos de discusiones y peleas entre los amotinados y, en un par de ocasiones, la siniestra voz de armas de fuego. Pero Black Michael era un jefe apropiado para aquella banda de rufianes y los mantenía bajo sus órdenes sin mayores problemas.

A los cinco días de la masacre de la oficialidad del barco, divisaron tierra. Black Michael no sabía si se trataba de una isla o del continente, pero informó a Clayton que si veían que el lugar era habitable, los desembarcaría a él y a Lady Greystoke con sus pertenencias.

"Allí podrán sobrevivir unos cuantos meses," le dijo. "Y cuando encontremos una costa habitada y podamos desperdigarnos, trataré de que su gobierno tenga noticias de donde se encuentran ustedes para que envíen un barco de guerra a rescatarlos. Es demasiado peligroso desembarcarlos en un lugar civilizado sin que nos hagan un montón de preguntas, y ninguno de nosotros tiene una respuesta apropiada".

Clayton trató de persuadirlo de que abandonarlos en una costa desconocida, a merced de las fieras salvajes y de tribus quizás aún más salvajes, era una monstruosidad.

Sus palabras, sin embargo, no sirvieron de nada y, al contrario, pusieron de mal humor a Black Michael no quedándole a Clayton más remedio que aceptar la situación.

Alrededor de las tres de la tarde divisaron una hermosa playa llena de vegetación, al fondo de una ensenada.

Black Michael envió a algunos de sus hombres a que sondearan la entrada de la bahía y comprobaran si el *Fuwalda* podía pasar sin peligro de encallar. Al cabo de una hora volvieron para informar que tanto la entrada como la ensenada eran de aguas profundas.

Al atardecer, la goleta estaba anclada y reposaba sobre las claras y tranquilas aguas de la ensenada.

Las orillas que la circundaban estaban pobladas con una frondosa vegetación semitropical y tierra adentro se veían las gigantescas siluetas de una cordillera cubierta casi completamente por la espesura selvática.

No se veían vestigios de habitantes, pero era evidente que la gran cantidad de vida animal que los exploradores del *Fuwalda* observaron en su expedición, y el riachuelo que proporcionaba agua en abundancia, hacía habitable el lugar para el hombre.

Al caer la noche, Clayton y Lady Alice aún se hallaban apoyados en la barandilla del barco contemplando silenciosamente su futuro alojamiento. De las oscuras sombras de la selva se oían los rugidos de las fieras salvajes —el rugido del león y, de vez en cuando, el escalofriante grito de la pantera.

La mujer se abrazó al hombre en temerosa anticipación de los horrores que los aguardaban en la siniestra negrura de las noches de aquel paraje, cuando quedaran abandonados a su suerte en la salvaje y solitaria playa.

Black Michael se les acercó para darles instrucciones y decirles que los desembarcarían al amanecer. Intentaron persuadirlo de que los dejara en otro lugar menos inhóspito y más cercano a la civilización, pero ni promesas ni ruegos lograron conmoverlo.

"Soy el único a bordo que no preferiría verlos muertos, y aunque esta sería la mejor forma de resguardar nuestros cuellos, Black Michael no es hombre que olvide un favor. Usted me salvó la vida en una ocasión y yo voy a salvar las de ustedes. Es lo único que puedo hacer. La gente ya no aguanta más, y si no los desembarco pronto, es posible que cambien de parecer y ni siquiera permitan esto. Les dejaré todas sus cosas, utensilios de cocina, algunas velas viejas para que hagan tiendas y alimentos para que puedan sobrevivir hasta que encuentren fruta y caza. "Con sus armas para protegerse, podrán vivir aquí con relativa facilidad hasta que los rescaten.

Cuando me encuentre a salvo, trataré de que el gobierno británico sepa dónde se encuentran. No podré decirles el lugar exacto porque ni siquiera yo lo sé. Pero no teman, les encontrarán".

Cuando los dejó, bajaron a su camarote llenos de negros presentimientos.

Clayton no creía que Black Michael tuviera intención de comunicar su situación al gobierno británico, ni estaba demasiado seguro de que al día siguiente al llevarlos a tierra con sus pertenencias no les prepararian alguna trampa. Una vez fuera de la vista de Black Michael cualquiera de los hombres podía eliminarlos sin que él se enterara. E incluso en el caso de que se libraran de aquello, se enfrentaban a un peligro aún mayor. Si estuviera solo podía tener la esperanza de sobrevivir mucho tiempo, porque era un hombre fuerte y atlético, pero ¿que pasaría con Alice y con aquella otra vida que se estaba gestando en sus entrañas y que pronto nacería en aquel hostil y primitivo mundo?

El hombre se estremeció, al analizar su grave y terrible situación, pero la misericordiosa Providencia evitó que pudiera ver claramente la terrible realidad que les aguardaba en las profundidades de aquella tenebrosa selva.

Por la mañana temprano sus numerosos baúles y maletas fueron izados a cubierta y pasados a los botes que los llevarían a la playa.

Había una gran cantidad y variedad de objetos, pues los Clayton habían calculado que pasarían varios años en su nuevo hogar. Por eso, además de las cosas necesarias, habían incluído objetos de lujo.

Black Michael había decidido que no quedara a bordo absolutamente nada que perteneciera a los Clayton. Si lo hizo por compasión o por su propia seguridad, es difícil de saber.

Es indudable que la presencia de propiedades de un oficial británico en un barco sospechoso, sería algo difícil de explicar en cualquier puerto civilizado del mundo.

Fue tan cuidadoso en este aspecto que incluso insistió en que se le devolvieran a Clayton sus dos revólveres.

También cargaron en los botes carne salada, galletas y una pequeña provisión de patatas, alubias, cerillas, cacharros de cocina, una caja de herramientas y las viejas velas que Black Michael los había prometido.

Como si temiera lo mismo que Clayton había sospechado, Black Michael los acompañó hasta la orilla, y fue el último en abandonarlos cuando, después de llenar de agua los barriles y cargarlos en los botes, volvieron al *Fuwalda*.

Clayton y su esposa vieron en silencio como se alejaban los botes. En sus corazones había un sentimiento de impotente desolación y angustia.

A sus espaldas, entre la maleza unos ojos los observaban —unos ojos muy juntos y malignos casi ocultos por unas pobladas cejas.

Cuando el *Fuwalda* desapareció por la boca de la ensenada, Lady Alice se abrazó fuertemente a Clayton y rompió a llorar. Había soportado valerosamente los peligros del motín; había conservado su serenidad ante la visión de su terrible futuro; pero ahora que el horror de su absoluta soledad se cernía sobre ellos, sus deshechos nervios no pudieron aguantar más la tensión y se produjo la reacción.

El no intentó secar sus lágrimas. Era mejor dejar que la naturaleza siguiera su curso y descargara toda aquella tensión acumulada. Pasó bastante tiempo antes de que la muchacha, poco más que una niña, volviera a recobrar el dominio de sí misma.

"¡Oh, John", dijo finalmente, "es horrible! ¿Qué podemos hacer? ¿Qué va a ser de nosotros?"

"Solamente podemos hacer una cosa, Alice", dijo él con la misma tranquilidad que si estuvieran tomando el té en el salón de su casa. "Y esa cosa es trabajar. El trabajo puede ser nuestra salvación. No podemos darnos tiempo para pensar, porque nos volveríamos locos".

"John, es que si solamente fueramos tú y yo", gimió ella, "sé que podríamos soportarlo, pero..."

"Ya lo sé, cariño", le contestó él con dulzura. "También yo pensé en eso, pero tenemos que afrontar las cosas como son y tratar de hacer frente a la situación con valor y confianza en nuestra capacidad para adaptarnos a las circunstancias. Hace cientos de miles de años, nuestros antepasados se enfrentaron al mismo problema, posiblemente incluso en esta misma selva. El hecho de nuestra existencia significa que lograron sobrevivir. Lo que ellos consiguieron lo conseguiremos nosotros. E incluso mejor, porque estamos equipados con siglos de una inteligencia superior, y disponemos de los medios de protección, defensa y sustento que la ciencia nos ha proporcionado, cosas de las que el hombre primitivo carecía. Lo que ellos consiguieron con utensilios y armas de piedra y hueso también lo podremos conseguir nosotros."

"¡Oh, John, hubiera deseado ser hombre poder pensar como tal, pero soy mujer y pienso más con el corazón que con la cabeza. Lo que presiento es tan horrible que no puedo expresarlo en palabras. Deseo que tengas razón, John. Procuraré por todos los medios ser una mujer primitiva digna de un hombre primitivo".

El primer pensamiento de Clayton fue el preparar un refugio para pasar la noche; algo que les sirviera para protegerlos de los depredadores.

Abrió la caja que guardaba los rifles y la munición, para estar armados contra cualquier posible ataque durante el trabajo y a continuación buscaron un lugar para pasar su primera noche.

A unos cien metros de la playa había un lugar bastante llano y libre de árboles que les pareció apropiado para construir una vivienda permanente, pero de momento creyeron más conveniente preparar una pequeña plataforma en las ramas de un árbol para mantenerse fuera del alcance de los grandes felinos que los amenazaban.

Con este fin, Clayton eligió cuatro árboles que formaban un rectángulo de unos ocho metros cuadrados y cortando ramas de otros árboles construyó una plataforma a unos cuatro metros del suelo, asegurando firmemente los extremos de las ramas con la cuerda que Black Michael les había dejado.

Recubrió la plataforma con otras ramas más pequeñas y encima de ellas puso matas de orejas de oso que crecían en gran cantidad por los alrededores, finalmente cubrió todo con una de las velas doblada en varias partes.

Unos dos metros más arriba construyó otra plataforma similar, aunque más ligera, a manera de tejado y a los lados colgó el resto de las velas para cerrar la rudimentaria construcción.

Al acabar el trabajo, quedó relativamente complacido con su pequeño refugio y a él llevó las mantas y parte del equipaje.

Ya era media tarde y se pasó el resto de las horas de luz construyendo una rudimentaria escalera para que Lady Alice pudiera subir a su nuevo hogar.

Durante todo el día, la selva circundante había estado animada con el canto de las aves de extraño plumaje y con las voces de los inquietos micos, que observaban curiosos como los recién llegados construían su extraño nido.

Tanto Clayton como su esposa habían estado atentos, pero no notaron la presencia de ningún animal depredador, aun cuando en un par de ocasiones habían visto a los pequeños simios correr alarmados y mirar asustados a su alrededor con muestras evidentes de que huían de algo terrible que los acechaba escondido.

Una vez finalizada la escalera, Clayton llenó un recipiente con agua del riachuelo cercano y ambos subieron a la relativa seguridad de su refugio arborícola.

Como hacía bastante calor, Clayton había dejado abiertos los laterales. Estaban sentados en silencio sobre las mantas cuando Lady Alice, esforzando la vista para penetrar en la oscuridad de la foresta se levantó de pronto cogiéndo a su marido por el brazo.

"John," susurró. "¡Mira! ¿Qué es aquello? ¡Parece un hombre!"

Al volver la vista en la dirección que ella indicaba, Clayton pudo ver entre las sombras una silueta en posición erecta.

Durante un momento la silueta se quedó parada, como tratando de escuchar, y entonces, volviéndose lentamente, desapareció en la negrura de la selva.

"¿Qué era, John?"

"No lo sé, Alice", contestó él preocupado, "está demasiado oscuro para ver a tanta distancia, pudo haber sido un efecto provocado por la luz de la luna".

"No, John, si no era un hombre era algo que se le parecía. ¡Oh, John, tengo miedo!"

El la tomó cariñosamente entre sus brazos y trató de confortarla con palabras y caricias.

Poco después cerró los laterales del refugio y los sujetó fuertemente a los árboles no dejando más que una abertura en dirección al mar.

La oscuridad era total y se acostaron tratando de conseguir mediante el sueño un poco de reposo y olvido.

Clayton tenía a su lado el rifle y varios revólveres.

No habían cerrado los ojos cuando oyeron el terrible grito de una pantera. Estaba cada vez mas cerca y al poco rato la sintieron debajo de ellos. Durante una hora o más la oyeron oler y arañar los árboles que sujetaban la plataforma hasta que finalmente se marchó cruzando la playa. Clayton pudo verla claramente a la luz de la luna —era una fiera enorme, la más grande que había visto en su vida.

No pudieron esa noche conciliar el sueño, porque los ruidos nocturnos de la selva virgen, poblada de miles de animales, los mantuvieron en continua tensión.

3. VIDA Y MUERTE

La mañana los sorprendió agotados por la falta de sueño aunque con un sentimiento de alivio por encontrarse aún con vida.

Después de un pobre desayuno a base de carne salada, café y galletas, Clayton se puso a trabajar en la casa, porque comprendió que la tranquilidad y seguridad nocturnas dependían de que dispusiesen de paredes sólidas que los protegieran de los animales de la selva.

La tarea fue muy dura y le llevó casi un mes construir una reducida habitación. Las paredes eran de troncos de unos doce centímetros de diámetro unidos con arcilla que había encontrado al excavar una zanja.

En un extremo construyó una chimenea con piedras de la playa unidas también con arcilla y cuando la casa estuvo terminada cubrió la parte exterior con una capa de arcilla de diez centímetros de grosor.

En la abertura de la ventana puso pequeñas ramas entrecruzadas vertical y horizontalmente formando como una parrilla resistente al empuje de cualquier animal y permitiendo la ventilación de su reducido habitat sin disminuir la seguridad.

El tejado lo hizo entretejiendo pequeñas ramas y cubriéndolas de hierba y hojas de palma y una capa final de arcilla.

La puerta la construyó con las tablas de las cajas de embalaje en que habían guardado sus pertenencias, clavando las tablas cruzadas hasta conseguir una hoja sólida de unos ocho centímetros y tan resistente que al verla terminada, a ambos les dió la risa.

El problema ahora era cómo sujetar la puerta. Clayton sin embargo, después de dos días de trabajo, consiguió dar forma a dos robustas bisagras de madera que pudieran soportar el peso de la puerta y permitieran moverla con facilidad.

El estucado y otros retoques menores los dejó para el final, cuando ya estuvieran instalados dentro de la cabaña, cosa que hicieron tan pronto como terminaron el tejado apilando las cajas delante de la puerta para tener un retiro nocturno relativamente cómodo y seguro.

La construcción de la cama, sillas, mesa y estanterías fue un trabajo bastante sencillo; a finales del segundo mes ya estaban instalados y si no hubiera sido por el constante temor de ser atacados por las fieras y por la agobiante soledad, habrían estado bastante cómodos y felices.

Por la noche, los grandes felinos merodeaban y rugían en torno a su pequeña cabaña, pero uno se adapta tan bien a los ruidos que se repiten contínuamente que pronto dejaron de prestarlos atención y dormían relajados toda la noche.

Tres veces habían visto fugazmente aquellas grandes figuras humanoides similares a la de la primera noche, pero nunca lo suficientemente cerca como para saber si se trataba de hombres o de animales.

Los pájaros de vivos colores y los micos ya se habían acostumbrado a su presencia, y pasado el primer momento de extrañeza y temor, comenzaron a acercarse poco a poco movidos por la curiosidad que caracteriza a todos los animales de la selva. Antes del primer mes algunos pájaros aceptaban la comida que amistosamente les ofrecían los Clayton.

Una tarde en que Clayton estaba trabajando en la ampliación de la cabaña, un grupo de sus pequeños amigos se acercó chillando y saltando rápidamente de rama en rama al tiempo que escapaba mirando hacia atrás. Al acercarse a Clayton éste sintió que le avisaban de algún peligro.

Y por fin vio al causante del temor de los micos: al hombre-bestia que el matrimonio había divisado ocasionalmente y fugazmente.

Se acercaba por la selva en posición semierecta, apoyando de vez en cuando los nudillos en el suelo. Era un gran mono antropoide que emitía unos gruñidos profundos y guturales que parecían rugidos.

Clayton estaba algo alejado de la cabaña, cortando un árbol. Sintiéndose seguro, al no haberse encontrado con animales peligrosos durante el día, había dejado el rifle y los revólveres en la cabaña, y al ver al gran mono que se dirigía hacia él cortándole el camino de regreso un escalofrío le recorrió la espalda.

Sabía que, armado sólamente de un hacha, sus posibilidades contra aquel ser brutal eran muy pocas. ¡Oh, Dios,! ¿Qué será de Alice?, pensó.

Aún tenía una ligera posibilidad de alcanzar la cabaña. Dio la vuelta y echó a correr hacia ella, gritando para avisar a su esposa que corriera y cerrara la puerta en caso de que el mono le cortara la retirada.

Lady Greystoke sentada delante de la cabaña oyó el grito y mirando en aquella dirección vió al mono moverse con ligereza increíble en pos de Clayton.

Dando un gritó echó a correr hacia la cabaña y al mirar nuevamente vió con horror que la bestia tenía acorralado a su marido que blandía el hacha con las dos manos listo para golpear en cuanto el enfurecido animal cargara sobre él.

"Cierra la puerta, Alice", gritó Clayton. "Yo me desharé de él con el hacha".

Pero ambos sabían que le aguardaba una muerte horrible.

El mono era un macho enorme de más de ciento cuarenta kilos. En sus ojos, muy juntos y desagradables, se percibía el odio. La horrible mueca de sus labios dejaba al descubierto unos enormes y afilados colmillos.

Por encima del hombro de la bestia, Clayton veía la puerta de la cabaña a unos veinte pasos de distancia y un estremecimiento de terror le recorrió el cuerpo al ver salir a su esposa armada con un rifle. Siempre había tenido miedo de las armas de fuego y no se atrevía a tocarlas, pero ahora se dirigía hacia el mono con la decisión de una leona dispuesta a defender a sus cachorros.

"Vuelve atrás, Alice", gritó Clayton, "por el amor de Dios, vuelve atrás".

Pero ella no hizo caso, y en ese momento el simió atacó de tal forma que Clayton no pudo seguir hablando. El hombre trató de golpearlo con el hacha, pero la colosal bestia se la arrebató de las manos y la arrojó lejos.

Con un horrible rugido se echó sobre su indefensa víctima pero antes de que sus colmillos se clavaran en el cuello que tanto ansiaban, se oyó una detonación y una bala se clavó en la espalda de la peluda criatura. Arrojando a Clayton al suelo, la bestia se abalanzó sobre su nuevo enemigo. Ante él la aterrorizada muchacha trataba en vano de hacer otro disparo; pero no conocía el funcionamiento del arma y el martillo seguía golpeando el cartucho vacío.

Casi al mismo tiempo, Clayton se puso en pie y sin pensar en la inutilidad de su intento corrió hacia su esposa tratando de salvarla de las garras del animal.

Sin mayor esfuerzo consiguió su objetivo y el animal cayó inerte a sus pies. Estaba muerto. La bala había cumplido su cometido.

Al examinar a su esposa y constatar que no tenía heridas supuso que el animal había muerto antes de hacerla daño. Cuidadosamente cogió el cuerpo de su esposa en brazos y la llevó a la cabaña. Transcurrieron dos horas antes de que recobrara el conocimiento.

Sus primeras palabras llenaron a Clayton de aprensión. Durante un tiempo, después de haber recobrado el sentido, Alice inspeccionó la pequeña cabaña y terminó diciendo con un suspiro de satisfacción:

"¡Cómo me alegro de estar en casa, John! Tuve un sueño horrible. Soñé que no estábamos en Londres, y que nos encontrábamos perdidos en un lugar espantoso lleno de fieras salvajes que nos atacaban".

"Vamos, vamos, Alice", dijo él besándola en la frente, "trata de dormir otra vez y no te preocupes por esas pesadillas".

Aquella noche, en la pequeña cabaña al lado de la selva, nació un niño, mientras el leopardo merodeaba fuera y el rugido del león se oía en las profundidades de la maleza.

Lady Greystoke no recobró la razón y, aunque vivió un año más después del nacimiento de su hijo, jamás volvió a salir de la cabaña ni llegó a darse cuenta de que no estaba en Inglaterra. Algunas veces preguntaba a Clayton qué eran aquellos extraños ruidos que se oían por la noche; dónde estaban los criados y amigos y porqué tenían un mobiliario tan incómodo. Aunque él jamás trató de engañarla, ella nunca llegó a comprender todo aquello.

En otros aspectos su comportamiento era razonable y la alegría que le producía su hijito y las constantes atenciones de su marido hicieron de aquel año el más feliz de su joven existencia.

Clayton sabía que hubiera sufrido enormemente de estar en su juicio, por eso aunque lamentaba verla en aquel estado, se alegraba de que no se diera cuenta de la situación.

Hacía tiempo que había abandonado toda esperanza de rescate, a no ser que éste se produjera por accidente, y se había dedicado a embellecer el interior de la cabaña.

Pieles de león y de pantera cubrían el suelo, armarios y estanterías revestían las paredes. Había conseguido hacer floreros con la arcilla del lugar y cubiertas las ventanas con cortinas de bambú. Con las pocas herramientas de que disponía había remozado las paredes y el techo y nivelado el piso de la cabaña.

Le parecía increíble haber acostumbrado sus manos a aquel tipo de trabajo que hacía gustoso por ella y por aquel pequeño ser que había llegado para alegrar sus vidas, aunque multiplicando sus responsabilidades y agravando su ya difícil situación.

Durante ese año, Clayton fue atacado varias veces por los grandes monos que ahora parecían infestar la vecindad de la cabaña; pero como ya no se aventuraba sin el rifle y los revólveres, se sentía más seguro y no les temía.

Había construído un cerrojo de madera para la puerta de la cabaña y reforzado las ventanas, así que cuando salía de caza o en busca de fruta, cosa que hacía con cierta frecuencia para asegurarse el alimento, no tenía que preocuparse porque algún animal entrara en su pequeño hogar.

Al principio había cazado muchos animales desde

las ventanas de la cabaña, pero últimamente éstos habían aprendido a temer aquel extraño cubil del que procedía el tenebroso tronar del rifle.

En las horas de descanso, Clayton leía en voz alta a su esposa pasajes de los libros que habían traído con ellos. Entre ellos había varios para niños —libros ilustrados, silabarios y libros de lectura— porque sabían que su hijo los necesitaría antes de volver a Inglaterra.

Otras veces escribía en su diario, cosa que siempre hacía en francés, relatando los acontecimientos de su vida en la soledad. El libro lo guardaba en una caja metálica.

Lady Alice falleció una noche, al año del nacimiento de su hijo. Su muerte fue tranquila y pasaron horas antes de que Clayton lo notara.

La triste realidad se le hizo evidente poco a poco, y probablemente nunca llegó a percatarse de la magnitud de su dolor y de la enorme responsabilidad que debía asumir con el cuidado de su hijo que aún era un niño de pecho.

A la mañana siguiente de la muerte de su esposa hizo una última anotación en su diario relatando los tristes detalles en forma tan sencilla que hace más triste, si cabe, la desolación de su alma, porque en esas últimas palabras se respira la triste apatía en que le dejara sumido la muerte de su compañera y dan constancia de su hundimiento:

"El niño está llorando de hambre —¡Oh, Alice, Alice! ¿Qué puedo hacer?"

Al escribir estas últimas palabras apoyó la cabeza en los brazos cruzados sobre la mesa que había hecho para el ser querido que ahora yacía frío e inerte sobre el lecho.

Durante mucho tiempo sólo el lastimero llanto del niño rompió el silencio de la selva.

4. LOS MONOS

En el interior de la selva, a un par de kilómetros de la costa, Kerchak, el mono, arremetió furioso contra los suyos.

Los miembros más jóvenes y ligeros de su tribu se desperdigaron y corrieron hacia las ramas más altas de los árboles para huir de su furia prefiriendo arriesgar sus vidas en ramas que casi no podían soportar su peso a enfrentarse al viejo Kerchak que sufría uno de sus habituales ataques de furia incontrolada.

Los machos más grandes escaparon en todas direcciones, pero no antes de que la furiosa bestia hubiera destrozado las vertebras de uno de ellos con sus potentes mandíbulas.

Una infeliz hembra jóven resbaló de su refugio en las ramas y cayó al suelo casi a los pies de Kerchak.

Con un rugido salvaje, éste saltó sobre ella y de una dentellada le arrancó un trozo de piel de un costado golpeándola brutalmente la cabeza con la rama desgajada de un árbol hasta que su cráneo quedó convertido en una masa sanguinolenta.

Entonces vio venir a Kala, que volvía con su hijito de buscar comida y desconocía el estado de ánimo del enorme macho. Los gritos de aviso de sus congéneres la alarmaron e hicieron que escapara aterrada a buscar refugio.

Kerchak se hallaba muy cerca de ella, tan cerca que estuvo a punto de agarrarla de un pie, si ella no hubiera saltado a tiempo de un árbol a otro —un salto peligroso que los monos ejecutan rara vez y sólo cuando se sienten amenazados y sin otra alternativa.

Kala consiguió dar el salto pero, al cogerse de una rama, el brusco movimiento hizo que su hijito se le soltara de su cuerpo y vio cómo la diminuta forma, golpeándose con las ramas, caía al suelo nueve metros más abajo.

Con un sordo gruñido de desesperación, Kala se dejó caer a su lado, sin pensar en el peligro de Kerchak; cuando recogió el frágil cuerpecito, éste habia dejado de existir.

Con gruñidos de lamentación se sentó estrechando el cuerpo contra su pecho; Kerchak no la molestó. Con la muerte del monito, su ataque de furia se calmó tan repentinamente como había empezado.

Kerchak era un enorme mono rey de cerca de ciento setenta kilos. Su frente era muy estrecha y sus ojos, siempre inyectados de sangre, eran pequeños y situados muy juntos al lado de su aplastada nariz; sus orejas, grandes y delgadas, eran más pequeñas que las de la mayoría de su especie.

Gracias a su endiablado carácter y a su enorme fuerza se había constituído en jefe de la tribu en la que había nacido hacía unos veinte años.

Ahora se encontraba en la plenitud de su vida y ningún otro simio en toda aquella parte de la selva por la que merodeaba se atrevía a enfrentársele. Ni siquiera otros animales mayores lo molestaban.

Tantor, el viejo elefante, era el único de entre todos los animales salvajes que no le temía —y Kerchak era al único que respetaba. Cuando se oía barritar a Tantor, el gran mono y su tribu subían a las ramas más altas de los árboles.

La tribu de antropoides sobre la que reinaba Kerchak con mano de hierro y colmillos amenazadores se componía de unos setenta miembros divididos en seis o siete familias. Cada familia estaba formada por un macho adulto con sus hembras e hijos.

Kala era la hembra más joven de un macho llamado Tublat, que significa nariz rota, y el bebé muerto era su primer hijo.

A pesar de su juventud, era grande y fuerte, con una frente amplia que denotaba mayor inteligencia que los otros miembros de su especie, motivo por el cual tenía mayor capacidad de amor maternal. Pero aún así no dejaba de ser un simio, una fiera grande y terrible de una especie relacionada con el gorila, aunque más inteligente y que por tener la fuerza de su pariente era el más temido de aquellos pavorosos familiares del hombre.

Cuando la tribu vio que la furia de Kerchak se había calmado empezó a bajar poco a poco de los árboles reanudando sus ocupaciones.

Los jóvenes continuaron corriendo y jugando entre los árboles. Algunos adultos se tendieron sobre la hierba, otros se dedicaron a buscar entre las ramas caídas gusanos e insectos que formaban parte de su dieta alimenticia, y otros subieron a los árboles a coger fruta, huevos de pájaro y pequeños animales.

Al cabo de una hora, Kerchak los llamó y les ordenó que lo siguieran camino de la playa.

La mayor parte del trayecto la recorrieron por el suelo, siguiendo la senda que los elefantes habían hecho entre la espesura y que es el único camino abierto de la selva. Se movían lentamente apoyando los nudillos en el suelo y balanceando sus pesados cuerpos.

Cuando avanzaban por los árboles se movían con más rapidez, saltando de rama en rama con la misma agilidad que sus familiares más pequeños, los micos. Durante todo el recorrido, Kala no se separó del cadaver de su hijito que llevaba abrazado junto a su pecho.

Cuando llegaron al borde de la playa era aproximadamente mediodía. Abajo se veía la pequeña cabaña: el objetivo que perseguía Kerchak.

El gran simio había visto morir a varios de los suyos bajo el estruendo del pequeño bastón negro que el extraño mono blanco que vivía en aquella maravillosa guarida llevaba siempre consigo, y había decidido que el mortífero objeto tenía que ser suyo. Además, deseaba ver el interior de aquel misterioso cubil.

Hacía tiempo que quería clavar sus colmillos en el cuello de aquel odiado y raro animal y por eso se aventuraba de vez en cuando a reconocer el terreno con su tribu buscando un descuido del mono blanco para caer sobre él.

Ultimamente no se atrevían a atacarlo, ni siquiera a dejarse ver; porque siempre que lo hacían, el pequeño bastón tronaba llevando la muerte a alguno de la tribu.

Hoy no se veían señales del hombre y desde su observatorio vieron que la puerta de la cabaña estaba abierta. Lenta, cautelosamente y sin hacer ruído, se fueron acercando.

No dieron ni gruñidos ni rugidos de desafío —el pequeño bastón les había enseñado a moverse silenciosamente para evitar su trueno.

Se fueron acercando poco a poco, hasta que el propio Kerchak se asomó sigilosamente a la puerta explorando el interior de la cabaña. Dos machos lo seguían y a continuación Kala, estrechando entre sus brazos el diminuto cadáver.

Dentro de la guarida vieron al extraño mono blanco reclinado sobre la mesa, con la cabeza recostada entre sus brazos; sobre la cama yacía una figura tapada y de la rústica cuna salían los lamentos de un bebé.

Kerchak se aventuró silenciosamente hacia el interior encogiendo las piernas para atacar; en ese momento John Clayton se levantó rápidamente, alarmado.

Lo que vieron sus ojos debió paralizarlo de espanto, porque allí, en la puerta se hallaban tres enormes monos y apiñados detrás, muchos más; cuantos había nunca llegó a saberlo, porque Kerchak se le avalanzó antes de que pudiera echar mano de sus revólveres.

Cuando el mono soltó la figura inerte del que había sido John Clayton, Lord Greystoke, dirigió su atención hacia la pequeña cuna; pero Kala llegó antes que él, y cogiendo al niño, antes de que pudiera impedírselo, salió velozmente y buscó refugio en un árbol cercano.

Al coger al niño de Alice Clayton, Kala dejó caer el cuerpo sin vida de su hijo en la cuna vacía, porque el llanto del niño vivo, despertó en ella el instinto maternal que el hijo muerto no podía llenar.

Allí arriba, entre las ramas del gigantesco árbol, acarició al desconsolado infante, y pronto el instinto maternal, tan arraigado en este fiero animal como lo había estado en su dulce y hermosa madre, fue percibido por el tierno cuerpo del niño, y se tranquilizó.

El hambre fue otro lazo de unión entre ellos. El hijo de un lord y una dama inglesa fue alimentado a los pechos de la mona Kala.

Entretanto, las otras bestias examinaban curiosas el interior de la extraña guarida. Satisfecho por la muerte de Clayton, Kerchak dirigió su atención a la cosa que yacía en la cama, cubierta por un trozo de lona. Cautelosamente levantó una esquina de la tela, pero al ver el cuerpo de la mujer dio un tirón brusco y cogió el delicado cuello.

Apretó los dedos, pero al notar que estaba muerta, la dejó caer y se dedicó a examinar los objetos de la casa; tampoco volvió a preocuparse del cuerpo de Sir John.

Lo que primero llamó su atención fue el rifle que colgaba de la pared; ese extraño y mortal objeto tronador era lo que había deseado durante meses; pero ahora que lo tenía a su alcance, no se atrevía a cogerlo.

Cautelosamente se aproximó a la cosa, dispuesto a escapar rápidamente si oía la atronadora voz que había matado a tantos de su tribu que, por ignorancia o temeridad, se habían atrevido a atacar al extraño mono blanco.

El cerebro de la bestia comprendía vagamente que el bastón del trueno sólo era peligroso en manos de alguien que lo supiera manejar, pero aún así pasaron varios minutos antes de que se atreviera a tocarlo.

Se paseaba por delante de él sin perderlo de vista, utilizando sus largos brazos como muletas y balanceando su enorme cuerpo al tiempo que gruñía y lanzaba su terrible grito de amenaza tan temido en toda la jungla.

Se paró delante del rifle, levantó lentamente una de sus peludas manos casi hasta tocar el brillante cañón, y la retiró rápidamente volviendo a su inquieto paseo.

Era como si por medio de este gesto de atrevimiento, acompañado de su fiera voz, la enorme bestia fuera acumulando valor para coger el rifle en sus manos.

Se paró de nuevo y esta vez consiguió tocar con la mano el frio acero del arma, aunque la volvió a retirar rápidamente y continuó su incansable pasear.

Repitió este ceremonial incontables veces, cada vez más confiado, hasta que por fin descolgó el rifle y lo cogió con ambas manos. Al ver que no le hacía daño, Kerchak empezó a examinarlo detenidamente. Miró el cañón, tocó el punto de mira, la correa, el cerrojo y finalmente el gatillo.

Durante toda la operación, los monos que habían entrado en la cabaña habían permanecido sentados delante de la puerta observando a su jefe y los que habían quedado fuera se amontonaban para ver lo que pasaba dentro.

De pronto el dedo de Kerchak apretó el gatillo. Se oyó una ensordecedora detonación en el interior de la cabaña y los monos se atropellaron unos a otros en su ansia por escapar.

Kerchak, igualmente asustado se olvidó de soltar al autor de aquel trueno, corriendo hacia la puerta con él todavía en la mano.

Al salir, el punto de mira del rifle se enganchó en el borde de la puerta tirando de ella y cerrándola.

Momentos después Kerchak se dio cuenta de que aún conservaba el rifle y lo soltó como quien deja caer un hierro candente. Sin volverse a acercar a él —el ruido había sido más de lo que sus primitivos nervios podian soportar; al fin se había convencido de que el temible bastón era inofensivo si no se le tocaba.

Pasó una hora larga antes de que los monos se atrevieran a volver a la cabaña a continuar su exploración, y cuando finalmente lo hicieron vieron con sorpresa que la puerta estaba tan firmemente cerrada que no podían entrar en su interior.

El cerrojo que había construído Clayton era tan efectivo que al salir Kerchak por la puerta se había corrido. Los monos tampoco pudieron entrar por las ventanas a causa de los resistentes barrotes que las cerraban.

Después de deambular por los alrededores durante un rato, se volvieron a internar por la selva hacia las tierras altas de donde procedían.

Kala no había bajado al suelo. Seguía abrazando a su recién adoptado hijo, pero Kerchak la llamó para que se uniera al resto y al no notar signos amenazantes en su voz, fue bajando de rama en rama para seguir al resto en su vuelta a casa.

Los monos que intentaron ver al extraño bebé de Kala, fueron rechazados por ella con gruñidos de advertencia y palabras y colmillos amenazadores.

Cuando le aseguraron que no intentaban hacer daño al niño, les permitió acercarse, pero no dejó que lo tocaran.

Parecía saber que el niño era frágil y delicado y temía que las rudas manos de sus congéneres le hicieran daño.

Otra cosa que dificultó enormemente su marcha, al recordar la muerte de su otro hijo, fue llevar abrazada contra su pecho a la criatura. Había perdido un hijo de una caída y no quería que se repitiera el accidente con éste.

Los otros jóvenes montaban sobre sus otros padres, cogiéndose fuertemente con sus diminutas manos a sus peludas espaldas.

5. EL MONO BLANCO

Kala crió a su retoño con toda ternura, preguntándose por qué motivo no adelantaría en fuerza y agilidad como los hijos de las otras monas. Ya hacía casi un año que lo había recogido y aún andaba muy inseguro y en lo que se refería a trepar era un auténtico inútil.

Kala hablaba con otras hembras sobre el retraso del joven, pero ninguna de ellas podía comprender cómo un niño podía ser tan lento y torpe para aprender a valerse por sí mismo. Ni siquiera era capaz de buscarse alimento solo y ya hacía más de doce meses que lo había encontrado.

Si hubieran sabido que el pequeño ya tenía trece lunas antes de llegar al poder de Kala, lo hubieran considerado un caso perdido, porque los monitos jóvenes de la tribu estaban tan avanzados en dos o tres lunas como lo estaba el extraño en veinticinco.

El macho de Kala, Tublat, se sentía terriblemente humillado, y de no haber sido por la constante vigilancia de la hembra, ya se hubiera deshecho del niño.

"Nunca llegará a ser un buen mono," decía. "Siempre dependerá de tí y tendrás que llevarlo y protegerlo. Jamás será de valor para la tribu. No es más que un estorbo. Abandónalo entre la maleza, ya tendrás otros hijos más fuertes que nos protejan en nuestra vejez".

"Nunca lo abandonaré, Nariz Rota", le replicó Kala. "Así tenga que cargar con él toda la vida".

Tublat fue a ver a Kerchak para que usara su autoridad con Kala y la obligara a abandonar al pequeño Tarzán, nombre que habían dado al pequeño Lord Greystoke y que significaba "piel-blanca".

Pero cuando Kerchak le habló a Kala de aquello, ella amenazó con abandonar la tribu si no la dejaban en paz con su hijo. Como ese era un derecho indiscutible de los habitantes de la selva, si no estaban a gusto con su grupo, no la molestaron más. Kala era un hermoso ejemplar de gran mono hembra y no deseaban perderla.

A medida que crecía, Tarzán iba avanzando más rápidamente, y a los diez años ya era un trepador experto. En el suelo podía hacer muchas cosas que estaban fuera de las posibilidades de sus hermanos y hermanas.

Era distinto a ellos en muchos aspectos, y los asombraba con su inteligencia superior, pero en fuerza y estatura dejaba mucho que desear; a los diez años, los grandes antropoides ya habían llegado a su plenitud, midiendo muchos de ellos más de un metro ochenta centímetros, en tanto que el pequeño Tarzán no era más que un niño en pleno crecimiento.

¡Pero qué niño!

Desde muy joven había utilizado las manos para saltar de rama en rama como le enseñaba su gigantesca madre, y a medida que crecía se pasaba más y más horas trepando por los árboles con sus hermanos y hermanas.

Podía saltar distancias hasta de seis metros, de una rama a otra y agarrarse con infalible precisión. O dejarse caer en trechos de seis metros para descender rápidamente al suelo desde las altas copas de los árboles con la facilidad y agilidad de una ardilla.

Aunque sólo contaba diez años, ya tenía la fuerza de un hombre de treinta y era más rápido y ágil que el atleta mejor entrenado. Y su fuerza aumentaba día a día.

Su vida entre aquellos fieros monos era feliz, porque no conocía otra cosa y no concebía otro mundo que aquella selva y los animales salvajes que la poblaban.

A esa edad fue entonces cuando empezó a darse cuenta de que existía una gran diferencia entre él y sus compañeros. Su pequeño cuerpo, tostado por la vida al aire libre, pronto comenzó a producirle sentimientos de vergüenza, porque el carecer de pelo le hacía similar a las serpientes y otros reptiles.

Intentaba disimular esta desnudez revolcándose por el barro, pero al secarse éste se caía, y, además, le resultaba tan incómodo que pronto prefirió la vergüenza a la incomodidad.

En las tierras altas que frecuentaba su tribu, había

un pequeño lago y en sus tranquilas y claras aguas, Tarzán vio por primera vez su rostro.

Fue en un caluroso día de la estación seca, cuando él y uno de sus primos fueron a beber. Al inclinarse las dos pequeñas caras se reflejaron en la quieta superficie; las fieras facciones del mono al lado de los aristocráticos rasgos del noble inglés.

Tarzán quedó anonadado. Ya era desgracia suficiente carecer de pelo, y ahora tenía aquella apariencia... ¿Cómo era posible que los otros monos no lo despreciaran?

Aquella delgada abertura de la boca y aquellos pequeños y blancos dientes, ¡que ridículos resultaban comparados con las grandes bocas y fuertes colmillos de sus hermanos mejor dotados!

Y aquella naricita, tan delgada y recta, era grotesca. Se puso rojo de vergüenza al compararla con las hermosas narices aplastadas de sus compañeros que casi les ocupaban toda la cara. ¡Que envidia!, pensó el pobre Tarzán.

Pero lo que más le afectó fueron sus ojos —un puntito negro rodeado de un círculo gris y después todo blanco. ¡Horrible! Ni siquiera las serpientes tenían unos ojos tan repugnantes.

Tan inmerso estaba en la contemplación de sus facciones que no oyó separarse las altas hierbas a sus espaldas movidas por el avance de un gran cuerpo; su compañero tampoco oyó nada porque estaba bebiendo, y sus sorbos y gruñidos de satisfacción apagaban el ligero rumor del sigiloso intruso.

A unos treinta pasos de ellos, Sabor, la gran leona, se acercaba agazapada, adelantando una pata y apoyándola silenciosamente en el suelo antes de mover la otra. Así avanzaba el enorme gato, con el vientre casi tocando el suelo, preparándose para saltar sobre su presa.

Sin mover la cola, se detuvo un instante: parecía una estatua de piedra, y entonces, con un rugido estremecedor saltó.

Sabor, la leona, era una gran cazadora. A uno menos experto, aquel rugido de alarma al dar el salto, le hubiera parecido una estupidez. ¿No atraparía mejor a su presa si saltara silenciosamente?

Pero Sabor conocía perfectamente la enorme rapidez de los habitantes de la selva y su increíblemente fino oído. Para ellos, cualquier ligero roce de una hierba sobre otra era un aviso tan efectivo como el grito más potente, y Sabor sabía que no podría dar aquel salto sin hacer algo de ruido.

Su fiero rugido no era un aviso. Tenía por objeto atemorizar y paralizar a sus víctimas durante una fracción de segundo, tiempo suficiente para cerrar sus potentes mandíbulas sobre la víctima y evitar así su huída.

En cuanto al mono, Sabor tenía razón. El pobre infeliz se quedó inmóvil un momento brevísimo, pero lo suficientemente largo para ser su perdición.

No sucedió lo mismo con Tarzán, el hombre-niño. Su vida entre los peligros de la selva le había enseñado a autodefenderse en el peligro, y su inteligencia humana le proporcionaba una rapidez mental muy superior a la de los monos.

El rugido de Sabor activó el cerebro y los músculos del pequeño Tarzán haciéndole entrar en acción inmediatamente.

Ante él estaban las profundas aguas del lago, a sus espaldas lo amenazaba una muerte segura y horrible entre las garras y colmillos de Sabor.

Tarzán siempre había odiado el agua, excepto como medio para calmar la sed. La relacionaba con el frío y las incomodidades de las lluvias torrenciales, y la temía por los truenos y relámpagos que acompañaban a las tormentas.

Su madre le había enseñado a evitar las profundas aguas del lago, y, además, aún se acordaba de que hacía pocos días la pequeña Neeta había caído al lago y se había ahogado. Pero de los dos males eligió el menor, y antes de que las últimas notas del rugido de Sabor se extinguieran en el aire y cuando la gran fiera no había cubierto en su salto la mitad de la distancia que le separaba de Tarzán, éste ya notaba en su cuerpo las frías aguas.

No sabía nadar, y las aguas eran muy profundas, pero aún así no perdió la confianza en sí mismo ni el ingenio propio de su inteligencia superior.

Empezó a mover rápidamente sus manos y pies para intentar mantenerse a flote y, quizás casualmente, hizo los mismos movimientos que un perro hace al nadar, de forma que a los pocos segundos su nariz ya estaba fuera del agua y notó que podía mantenerse a flote incluso avanzar si continuaba con ese movimiento de brazos y piernas.

Este descubrimiento lo llenó de sorpresa y satisfacción aunque no tenía realmente mucho tiempo para pensar en ello.

En la orilla se encontraba la implacable fiera que lo había atacado, saltando sobre el cuerpo inerte de su joven compañero. La leona lo observaba esperando a que volviera a la orilla, cosa que Tarzán estaba muy lejos de intentar. Lo que hizo fue lanzar el grito de petición de ayuda de su tribu, avisando al mismo tiempo del peligro que le acechaba para evitar que sus salvadores cayeran en las garras de Sabor.

Casi inmediatamente se oyó la respuesta y al poco tiempo cuarenta o cincuenta grandes monos se pusieron en marcha por los árboles en dirección al lugar de la tragedia.

Al frente venía Kala, porque había reconocido la voz de su retoño, y a su lado estaba la madre del joven mono que había muerto bajo las garras de Sabor.

A pesar de ser más fuerte y mejor equipada para la lucha que los simios, la leona prefirió no enfrentarse a aquella bandada de enfurecidos adultos y con un rugido de rabia se introdujo entre la maleza y desapareció.

Tarzán nadó hacia la orilla y salió rápidamente a tierra. El sentimiento de frescura provocado por el agua, lo llenó de un extraño sentimiento de placer, y desde aquel día no perdió ocasión de echarse a nadar cuando tenía un riachuelo, un lago o el mar cerca. Durante mucho tiempo, sin embargo, Kala no pudo hacerse a la idea de que su hijo nadara, porque aunque los de su especie pueden hacerlo cuando se ven forzados a ello, nunca lo hacen voluntariamente.

Tarzán recordó con agrado, por mucho tiempo el

episodio con la leona porque había roto la rutina de su vida diaria que se reducía generalmente, a un aburrido deambular en busca de alimento y a dormir.

El territorio por el que campaba su tribu, se extendía unos cincuenta kilómetros a lo largo de la costa y unos noventa kilómetros hacia el interior. Recorrían este territorio casi continuamente y aunque en ocasiones permanecían en un mismo lugar durante meses, se movían por los árboles con tal rapidez que podían recorrer sus dominios en pocas jornadas.

Los traslados eran provocados generalmente por la necesidad de alimento, por el clima o por la existencia de animales de especies más peligrosas. Pero otras veces Kerchak los hacía recorrer grandes distancias simplemente porque se había aburrido de un determinado lugar.

Dormían donde la noche los encontraba, descansando sobre el suelo o en las ramas de los árboles y se acurrucaban en parejas o trios para comunicarse calor mutuamente. Al igual que los otros con sus madres, Tarzán había dormido en brazos de Kala durante todos aquellos años.

Que aquella enorme bestia salvaje amaba a su hijo de otra especie estaba fuera de toda duda. También él había puesto en aquel brutal y peludo ser todo el amor filial que hubiera dedicado a su bella y delicada madre, si viviera.

Era cierto que a veces, cuando había sido desobediente, le pegaba pero con mucha más frecuencia lo acariciaba.

Sin embargo Tublat, su compañero, siempre había odiado a Tarzán, y en varias ocasiones estuvo a punto de acabar con su joven existencia.

Por su parte, Tarzán no perdía oportunidad de demostrar a su padrastro que sus sentimientos eran correspondidos en la misma manera, y siempre que podía insultarlo o enfadarlo desde la seguridad de los brazos de su madre, lo hacía.

Su inteligencia superior le permitía inventar cientos de trampas diabólicas que llegaron a hacer insoportable la vida del gran mono.

Siendo aún muy joven, había aprendido a hacer cuerdas trenzando largas hierbas, y con ella hacía caer continuamente a Tublat, o intentaba cogerlo por el cuello desde la altura de alguna rama.

Jugando con estas rudimentarias cuerdas, descubrió la forma de hacer nudos y lazos primitivos con los que él y los otros monos jóvenes pasaban momentos muy divertidos. Los otros trataban de imitarlo sin éxito pues carecían de la necesaria habilidad manual.

Un día Tarzán echó el lazo a uno de sus compañeros, sujetando con la mano el otro extremo. Accidentalmente, el lazo se cerro en torno al cuello del mono deteniendo súbitamente su salto. Había descubierto un nuevo juego, pensó Tarzán, e inmediatamente trató de repetir aquel movimiento. Practicando durante horas y horas, aprendió el arte de lacear.

Desde ese momento, la vida de Tublat se convirtió en una constante pesadilla. Cuando dormía, durante la marcha, de día, y de noche, aquel endiablado y silencioso lazo lo amenazaba por todas partes, cerrándose en torno a su cuello y llegando en ocasiones casi a estrangularlo.

Kala lo castigaba, Tublat juraba vengarse y el viejo Kerchak le avisó y amenazó, pero no consiguieron que abandonara el juego.

Tarzán los desafiaba a todos y aquel delgado y fuerte lazo siguió amenazando el cuello de Tublat cuando éste menos lo esperaba.

Los otros monos se divertían enormemente con las desventuras de Tublat, porque Nariz Rota era un viejo macho de carácter desagradable y no gozaba de muchas simpatías.

En el despierto cerebro del joven Tarzán se agolpaban los pensamientos producto del desarrollo de su superior inteligencia. Si podía cazar a sus compañeros con aquel largo brazo de hierbas trenzadas, ¿por qué no intentarlo con Sabor, la leona?

Este pensamiento le rondó en la mente, consciente e inconscientemente por mucho tiempo y finalmente resultó efectivo.

Pero eso sucedió varios años más tarde.

6. LAS BATALLAS DE LA SELVA

En su deambular, la tribu llegaba muy a menudo a las cercanías de la cerrada y silenciosa cabaña de la costa. Para Tarzán, éste era un lugar misterioso, que lo atraía con una fuerza irresistible.

Le gustaba mirar por las cerradas ventanas y subir al tejado para mirar por la chimenea, en un vano intento por descubrir el misterio que encerraban aquellas resistentes paredes.

Su mentalidad infantil imaginaba criaturas maravillosas que habitaban aquel recinto, y la imposibilidad de entrar en él aumentaba sus deseos de hacerlo.

Se pasaba horas dando vueltas por el tejado y observando las ventanas tratando de buscar una entrada. A la puerta le había prestado poca atención porque le parecía una continuación de las paredes.

Fue en una de esas visitas, después de su aventura con la vieja Sabor, cuando al acercarse a la cabaña, se dio cuenta de que la puerta era independiente de la pared en que estaba encajada, y por primera vez se le ocurrió que allí debía de estar el secreto de la entrada que tanto tiempo llevaba buscando.

Estaba solo, como la mayoría de las veces que visitaba la cabaña, porque los monos no sentían demasiada simpatía por el lugar. Durante aquellos últimos diez años el recuerdo del bastón tronador no había perdido fuerza y seguía relacionado, en la mente de muchos de los monos, con el cúbil del hombre blanco provocándolos un sentimiento de temor.

Nunca le habían contado su relación con aquella guarida. El lenguaje de los monos tenía tan pocas palabras que no podían contar ni explicar lo que habían visto en la cabaña. Al no poder describir ni los utensilios ni los seres que los habían utilizado los monos olvidaron gran parte de los sucesos mucho antes de que él tuviera edad de comprenderlos.

Kala le había dicho vagamente que su padre era un extraño mono blanco, pero nunca le dijo que ella no era su madre.

Ese día se dirigió directamente a la puerta y pasó horas inspeccionándola y tocando las bisagras y el cerrojo hasta que por fin consiguió que éste se moviera permitiendo que la puerta se abriera ante sus sorprendidos ojos.

Pasaron unos minutos antes de que se atreviera a entrar. Cuando sus ojos se acostumbraron a la semioscuridad del interior lo hizo lenta y cautelosamente.

En el suelo había un esqueleto sobre el cual todavía se percibían los restos de ropa.

En la cama yacía otra figura de proporciones algo menores, y en la pequeña cuna un tercer esqueleto mucho más pequeño que los anteriores.

Tarzán no les prestó mucha atención a todas aquellas trágicas huellas. Su vida en la selva lo había acostumbrado a la visión de la muerte de muchos animales y aunque hubiera sabido que aquellos eran los restos de sus padres no se habría conmovido.

Lo que más llamó su atención fue el mobiliario y los objetos que había en la cabaña: las armas y herramientas, los libros y las ropas, que habían resistido al cálido y húmedo clima de la selva y que examinó cuidadosamente.

Abrió cuanto armario y cajón había que llamara su atención. Las cosas que encontró en ellos estaban mucho mejor conservadas que las que había fuera. Entre otras halló un afilado cuchillo de caza con el que se cortó un dedo tan pronto como lo cogió. Sin darle mayor importancia, continuó experimentando con él, descubriendo que con este objeto podía cortar la madera de la mesa y de las sillas.

Eso lo entretuvo durante un rato, pero se cansó pronto y continuó su exploración. En una estantería llena de libros, encontró uno con dibujos de colores —era un alfabeto ilustrado:

La A es el arquero que dispara flechas
con su arco.

La B es el buey que tiene grandes cuernos.

Los dibujos le gustaban.

Había muchos monos con caras parecidas a la suya. También observó en la "M" algunos pequeños monos de los que él estaba acostumbrado a ver saltando por los árboles de la selva. Pero no encontró ninguno parecido a los de su tribu; en aquel libro no había nadie que se pareciera a Kerchak, a Tublat o a Kala.

Al principio intentó coger aquellas figuras, pero pronto se dio cuenta de que no eran reales, aunque no sabía lo que eran, porque no tenía palabras que las describieran.

Los barcos, trenes, vacas y caballos no significaban nada para él, pero lo que más le extrañaba eran aquellas figuras que aparecían debajo y alrededor de las ilustraciones. Pensó que debían ser unos insectos extraños, porque algunos tenían patas, pero no tenían ni ojos ni boca. Este fué su primer encuentro con las letras, cuando tenía más de diez años.

Nunca había visto un escrito, ni se había encontrado con nadie que supiera que existía la escritura, y mucho menos había visto leer a nadie. Por eso no es de extrañar la sorpresa de aquel niño al ver aquellas extrañas figuras.

Aproximadamente en la mitad del libro vio a su gran enemiga Sabor, la leona, y algo más adelante a Histah, la serpiente.

Aquello era fantástico. Nunca había gozado tanto en sus diez años de existencia. Estaba tan absorto que no se dio cuenta de que se había hecho la noche hasta que la falta de la luz le impidió ver las figuras.

Devolvió el libro a la estantería y cerró la puerta; no quería que nadie pudiera entrar y destrozar su tesoro. Al salir y cerrar descubrió el secreto de la cerradura y antes de abandonar el lugar recogió el cuchillo de caza para llevárselo y enseñárselo a sus compañeros.

Aun no había dado una docena de pasos hacia la selva cuando se vio delante de una gigantesca sombra que acechaba detrás de un arbusto. Al principio creyó que se trataba de alguien de su tribu, pero enseguida notó que se trataba de Bolgani, el enorme gorila.

Estaba tan cerca que no había posibilidad de huída y el pequeño Tarzán comprendió que no le quedaba más remedio que intentar defenderse, porque aquellas grandes bestias eran enemigos mortales de su tribu y ni unos ni otros daban ni pedían cuartel.

Si Tarzán hubiera sido uno de los grandes machos de su tribu habría tenido alguna oportunidad, pero, aunque enormemente musculoso, él no dejaba de ser un niño y no tenía escapatoria contra aquel cruel y poderoso enemigo. Pero por sus venas corría la sangre de sus indómitos antepasados, respaldando esto estaban los diez años de educación selvática con los miembros de su fiera tribu.

No conocía el miedo, en el sentido que nosotros lo entendemos. Su corazón latía más aprisa excitado por la proximidad de la pelea. Si se le presentara la oportunidad, no dudaría en escapar, pero solamente porque su razón le decía que no era enemigo para la gran mole que lo amenazaba. Y puesto que su inteligencia le decía que era imposible escapar, se enfrentó al gorila abiertamente, sin demostrar pánico ni mover un solo músculo.

Hizo frente al ataque del enorme animal golpeándolo con los puños, pero con el mismo resultado que si una mosca hubiera atacado un elefante. Sin embargo en una mano llevaba el cuchillo que había encontrado en la cabaña de su padre y, al golpear a la bestia, accidentalmente dirigió la punta del cuchillo contra el pecho del gorila. Al sentir que el cuchillo se hundía en su cuerpo, la bestia rugió de dolor y rabia.

El muchacho aprendió en aquel instante el uso que podía tener aquel puntiagudo y afilado objeto y mientras la fiera lo arrastraba en su caída, mordiendo y golgolpeando, él clavó repetidas veces el arma en el peludo pecho.

El gorila luchaba a la usanza de los de su especie, golpeando y mordiendo, desgarrando con sus colmillos la piel del niño. En la furia del combate, rodaron por el suelo, pero al ir perdiendo fuerzas debido a los golpes del brutal enemigo, la larga y afilada hoja llegaba a su destino con más dificultad, hasta que el joven Tarzán cayó inerte al suelo cubierto de hierba de la selva.

A un par de kilómetros de allí, la tribu había oído el grito de desafío del gorila y, como era costumbre cuando amenazaba un peligro, Kerchak reunió a su pueblo, en parte para protegerse mútuamente, pues aquel gorila podía formar parte de un grupo más numeroso, y en parte para ver si faltaba alguien en la tribu.

Pronto descubrieron que faltaba Tarzán, pero Tublat se opuso a que fueran en su ayuda, y como a Kerchak no le importaba demasiado la suerte que pudiera correr aquel extraño mono se encogió de hombros y se echó a dormir tranquilamente.

Pero la reacción de Kala fué distinta. Tan pronto como descubrió la falta de Tarzán echó a correr en la dirección en que aún se oían los rugidos del gorila.

Ahora la oscuridad era total y la luna proyectaba una extraña luz provocando grotescas sombras en la foresta. Aquí y allá se veían reflejos de luz que acentuaban la tenebrosa negrura de la noche.

Como un enorme fantasma, Kala pasaba silenciosamente de un árbol a otro en su rápido avance hacia el escenario de la tragedia, que su conocimiento de la selva le decía estaba próximo.

Los gritos del gorila indicaban que estaba enzarzado en mortal combate con otra fiera. De pronto dejaron de oirse los gritos y un silencio mortal recorrió la selva.

Kala no comprendía lo que sucedía, porque la voz de Bolgani le había parecido agónica, como si estuviera herido de muerte, pero no oía ningún ruído que indicara la clase de enemigo con el que se enfrentaba.

Ni se le había ocurrido que su pequeño Tarzán pudiera ser el causante de la muerte del gran gorila macho, por eso cuanto más se acercaba al lugar de su pelea más lentos y cautelosos se hacían sus movimientos, tratando de escudriñar en la negrura para ver a los combatientes.

Cuando llegó al lugar, vio al pequeño Tarzán ensangrentado y a su lado, muerto, un gran gorila macho.

Con un grito sordo, Kala se abalanzó al lado de Tarzán y, apretando el frágil cuerpo cubierto de sangre contra su pecho, intentó descubrir si aún tenía signos de vida. El corazón latía débilmente.

Con gran ternura llevó el cuerpo a través de la selva hasta donde estaba la tribu y durante muchos días y noches lo cuidó llevándole comida y agua y espantando las moscas e insectos de las heridas que cubrían el cuerpo.

La infeliz bestia no sabía nada de cirugía ni de medicina, lo único que podía hacer era lamer las heridas, pero de esta forma las mantenía limpias acelerando así la cicatrización.

Al principio, Tarzán no comía nada y se pasaba el día delirando. Lo único que pedía era agua y ella se la llevaba de la única forma que podía, en su boca.

Ninguna madre humana hubiera mostrado un amor ni un sacrificio más desinteresado que el de aquella bestia salvaje por el retoño que hacía diez años llegara a sus manos.

Por fin, la fiebre cesó, y el muchacho empezó a mejorar. Aunque el dolor era espantoso, nunca musitó una palabra o un sonido de queja.

Tenía desgarrado todo un costado y tres costillas rotas por los terribles golpes del gorila. Los afilados colmillos de la fiera casi le habían arrancado un brazo y el cuello mostraba una herida profunda que milagrosamente no había afectado la yugular.

Con el estoicismo de las fieras que lo habían educado, soportaba el dolor sin quejarse, prefiriendo árrastrarse fuera de la vista de los demás y reposar en algún lugar de hierbas altas antes que mostrar su sufrimiento.

A la única que soportaba y que deseaba tener a su lado era a Kala, pero ésta, ahora que él se encontraba mejor, daba paseos cada vez más largos en busca de alimento, pues el pobre animal casi no había comido durante la enfermedad de Tarzán y había adelgazado enormemente.

7. LOS PRINCIPIOS DE LA CULTURA

Después de lo que al joven doliente le pareció una eternidad, se encontró otra vez en disposición de caminar, y a partir de ese momento su recuperación fue tan rápida, que en menos de un mes volvía a estar tan fuerte y activo como de costumbre.

Durante su convalecencia había recordado muchas veces la lucha con el gorila y su primer pensamiento fué recuperar aquella pequeña y maravillosa arma gracias a la cual había dejado de ser un débil desclasado para convertirse en el vencedor de aquel poderoso señor de la selva.

También deseaba volver a la cabaña para seguir examinando los objetos de su interior.

Y una mañana temprano se puso en camino. Después de buscar un rato, encontró los huesos blanqueados de su último enemigo, y en las proximidades, medio enterrado entre la hojarasca y cubierto de óxido debido a la humedad del suelo y a la sangre del gorila, encontró el cuchillo.

No le gustaba el cambio que había sufrido su antes pulida y brillante hoja, pero seguía siendo un arma extraordinaria y pensaba seguirla utilizando cuando se le presentara la oportunidad. Ya no tendría que volver a escapar de los violentos ataques de Tublat.

Poco después llegó a la cabaña y abriendo el cerrojo entró. Lo primero que hizo fue concentrarse en el mecanismo de cierre, para aprender exactamente como funcionaba y por qué mantenía la puerta cerrada.

Al darse cuenta de que podía cerrar la puerta por dentro, lo hizo, para que nadie lo molestara mientras investigaba.

Su atención se centró casi inmediatamente en los libros, los cuales parecían ejercer tan misteriosa influencia sobre él que no podía casi atender a otra cosa.

Entre ellos había varios para aprender a leer, silabarios ilustrados y un gran diccionario. Los examinó todos, pero lo que más le llamó la atención fueron las ilustraciones, aunque aquellos raros insectos que cubrían las páginas donde no había ilustraciones lo llenaban de asombro.

Sentado de cuclillas sobre la mesa que su padre había construído, su desnudo y moreno cuerpo encorvado sobre el libro que tenía en las manos y una gran melena de pelo cayéndole sobre sus inteligentes ojos, Tarzán de los Monos, el joven hombre primitivo, presentaba un cuadro patético y al mismo tiempo, prometedor; era una alegoría del primer intento del hombre de pasar de la ignorancia a las primeras luces del conocimiento.

Su expresión era tensa, porque en su estudio se le había ocurrido parcialmente y de forma confusa una idea que le iba a ayudar a descifrar el enigma de aquellos misteriosos insectos.

Tenía en sus manos un silabario abierto, en el cual se veía la figura de un pequeño mono parecido a él, con la diferencia de que tenía el cuerpo cubierto con una piel de extraños colores, interpretación que le dio a la chaqueta y al pantalón. Debajo de la figura había cuatro insectos:

NIÑO

En el texto de la página descubrió que esos cuatro insectos aparecían muchas veces en el mismo orden.

También descubrió que muy pocas veces aparecía un insecto solo, sino que se repetían muchas veces acompañados de otros.

Poco a poco fue pasando las hojas buscando en las ilustraciones y en los textos la combinación N-I-Ñ-O. La volvió a encontrar debajo de un dibujo de otro pequeño mono y de un animal que andaba a cuatro patas, parecido al chacal. Debajo de este dibujo los insectos estaban colocados así:

UN NIÑO Y UN PERRO

Allí estaban otra vez los insectos que siempre acompañaban al mono.

El progreso fue muy lento, por tratarse de una tarea terriblemente complicada —tarea que a nosotros puede parecernos imposible: aprender a leer sin tener ni la menor idea de la existencia de las letras ni de una lengua escrita.

No lo consiguió en un día, ni en una semana, ni en un año; pero poco a poco fue aprendiendo las posibilidades que tenían aquellos insectos, y a los quince años conocía las distintas combinaciones de letras que formaban los nombres de todas las imágenes del silabario y de dos de los libros ilustrados.

Del uso del artículo, verbos, conjunciones y adverbios, no tenía ni la menor idea.

Un día, cuando tenía doce años, descubrió unos lápices en un cajón que no había visto antes, y al arañar con uno de ellos encima de la mesa, se sorprendió al ver la línea que dejaba.

Jugó tan afanosamente con su nuevo descubrimiento que, al cabo de poco tiempo, la mesa estaba cubierta de garabatos y rayas, y la mina del lápiz quedó inservible. Después cogió otro lápiz, pero esta vez con otra intención. Intentaría copiar algunos de los insectos que había en las páginas de sus libros.

La cosa no resultaba sencilla, porque cogía el lápiz como si fuera un puñal y eso dificulta enormemente la escritura y la legibilidad de los resultados.

Pero practicó durante meses, cada vez que podía ir a la cabaña, hasta que por fin, después de repetir innumerables veces el experimento, encontró una posición para coger el lápiz que le permitía guiarlo y controlarlo mejor, logrando reproducir grotescamente los insectos.

Así empezó su aprendizaje de la escritura.

Copiando las letras, aprendió otra cosa: los números; aún cuando no sabía contar en la forma en que nosotros lo hacemos, tenía una idea de la cantidad, basando sus cálculos en el número de dedos de las manos.

Su búsqueda por los libros lo convenció de que ya conocía todos los distintos insectos y los colocó en orden fácilmente gracias a la frecuencia con que había consultado el fascinante silabario ilustrado.

Su educación fue progresando, sobre todo gracias a la fuente inacabable de información que representaba el gran diccionario ilustrado, porque aún después de haber comprendido el significado de los insectos aprendía mejor por medio de las ilustraciones.

Una vez que descubrió la disposición de las palabras por orden alfabético, se complacía en buscarlas. Al encontrar la combinación que le era familiar y leer las palabras que la acompañaban (la definición) sus conocimientos se iban ampliando.

A los diecisiete años ya leía las sencillas historias del libro de lecturas y había medio comprendido el verdadero valor de las letras.

Ya no se avergonzaba de su falta de vello, ni de sus facciones humanas, porque ahora se daba cuenta de que era de una raza distinta a la de sus peludos y salvajes compañeros. El era un H-O-M-B-R-E, ellos eran M-O-N-O-S, y los pequeños monos que saltaban por las copas de los árboles, eran M-I-C-O-S. También aprendió que Sabor era una L-E-O-N-A, Histah era una S-E-R-P-I-E-N-T-E y que Tantor era un E-L-E-F-A-N-T-E. Así fue aprendiendo a leer.

Desde ese momento el progreso se fue haciendo más rápido. Con la ayuda del gran diccionario y la activa inteligencia de una mente sana y con un legado hereditario muy superior al normal, a menudo adivinaba más que comprendía muchas cosas que estaban fuera de su alcance.

En el proceso de su educación había muchas pausas, causadas por los hábitos migratorios de su tribu, pero incluso cuando estaba lejos de sus libros, su activo cerebro continuaba ocupado en resolver aquellos enigmas que tanto placer le causaban.

Trozos de corteza, hojas de árbol, e incluso la arena, le proporcionaban material para escribir con la punta de su cuchillo o con un palo, las lecciones que iba aprendiendo.

Tampoco olvidaba las obligaciones más serias que su vida salvaje le imponía, mientras se dedicaba a resolver el misterio de su pequeña biblioteca.

Practicaba con el lazo y jugaba con el cuchillo, el cual había aprendido a afilar frotándolo contra una piedra plana.

Desde que Tarzán apareciera en la tribu, ésta había crecido considerablemente, porque bajo el mando de Kerchak habían desterrado a otras tribus de aquella parte de la selva, por lo que disponían de comida en abundancia y sufrían muy pocas pérdidas por las incursiones depredadoras de los grandes animales.

Los jóvenes machos, al llegar a la edad adulta, encontraban más cómodo elegir compañera en la propia tribu, o cuando capturaban una hembra en otra tribu, traerla al territorio de Kerchak, prefiriendo vivir amistosamente con él que intentar establecerse por sí mismos, o luchar contra él para usurparle el mando.

Ocasionalmente, algún mono más fuerte que el resto intentaba esta última alternativa, pero hasta entonces ninguno había salido bien de su enfrentamiento contra el formidable y fiero homínido.

La posición de Tarzán en la tribu era bastante peculiar. Aparentemente lo consideraban como uno más, aunque con ligeras diferencias. Los machos adultos o lo ignoraban completamente o lo odiaban hasta tal extremo que de no haber sido por su extraordinaria agilidad y la fiera protección de la gran Kala ya se hubieran deshecho de él hacía tiempo.

Tublat era su enemigo más enconado, y a Tublat se debió el que, cuando tenía unos trece años, cesaran de pronto las persecuciones de sus enemigos y le dejaran tranquilo. Excepto en las ocasiones en que alguno de ellos en ataques de locura salvaje, atacaba a todo el que encontraba por delante, cosa bastante común entre los machos de algunos de los animales más fieros de la selva. En esos momentos nadie estaba seguro.

El día en que Tarzán consolidó su derecho a ser respetado, la tribu estaba acampada en una especie de pequeño anfiteatro natural que la selva había dejado libre de vegetación en una hondonada rodeada de pequeñas colinas.

Aquel espacio abierto era casi circular. Estaba rodeado por gigantescos árboles con una maleza tan espesa y enmarañada que la única posibilidad de entrar en aquel recinto era saltando por las ramas de los árboles.

En este lugar se reunía la tribu con cierta frecuencia. En el centro del anfiteatro había uno de esos extraños tambores de tierra que construyen los antropoides para sus insólitos ritos, que algunos han oído en la selva, pero ninguno ha visto.

Muchos viajeros han visto los tambores de los grandes monos, y algunos incluso han oído su sonido y la algarabía salvaje de la orgía de aquellos primitivos señores de la selva, pero Tarzán, Lord Greystoke, es, sin lugar a dudas, el único ser humano que ha participado en la fiera, enloquecedora y embriagante ceremonia del Dum-Dum.

De esta primitiva reunión proceden, con toda seguridad, todos los protocolos y ceremoniales de las iglesias y Estados modernos, porque durante milenios, desde los albores de la humanidad, nuestros salvajes y peludos antepasados danzaron en los ritos del Dum-Dum, al son de los tambores de tierra, bajo la brillante luz de una luna tropical en las profundidades de una selva que permanece en la actualidad en el mismo estado que estaba en la noche de los tiempos, cuando nuestros primeros padres saltaban de rama en rama para dirigirse a sus lugares de reunión.

El día que Tarzán se liberó del implacable persecutor que lo había acosado durante doce de sus trece años de vida, la tribu, compuesta en la actualidad por unos cien individuos, fué entrando en el anfiteatro dejándose caer silenciosamente de las ramas de los árboles.

Los ritos del Dum-Dum se celebraban para conmemorar sucesos importantes en la vida de la tribu —una victoria, la captura de un prisionero, la muerte de algún gran enemigo de la selva, la muerte o la toma de poder de un rey— y se celebraba con arreglo a un ceremonial establecido.

Hoy, la causa era la muerte de un gran mono miembro de otra tribu. Cuando las gentes de Kerchak estuvieron en el anfiteatro llegaron dos machos enormes transportando el cuerpo del vencido. Dejaron su carga delante del tambor y se sentaron a su lado haciendo guardia. El resto de la tribu se dispuso a dormir hasta que la salida de la luna diera la señal de comenzar la salvaje orgía.

Durante horas, el silencio en el recinto fue absoluto, a excepción del canto de los miles de pájaros de hermoso plumaje que volaban por todas partes en busca de alimento o se posaban en las ramas de los gigantescos árboles de la selva.

Poco a poco la noche fue cayendo sobre la selva y los monos empezaron a desperezarse, y a reunirse alrededor del tambor de tierra. En un círculo, exterior estaban las hembras y los jóvenes, delante, formando otro círculo, los machos adultos. Ante el tambor había tres hembras viejas, cada una de ellas sostenía en sus manos una gruesa rama de unos cuarenta centímetros de larga.

Lenta y suavemente comenzaron a golpear la resonante superficie del tambor, tan pronto como los primeros rayos de la ascendente luna empezaron a filtrarse por entre las copas de los árboles.

A medida que aumentaba la visibilidad en el anfiteatro, las hembras incrementaron la frecuencia y fuerza de los golpes, hasta conseguir un salvaje ritmo que podía oírse a muchos kilómetros a la redonda. Incluso las grandes fieras salvajes interrumpieron su caza para oír aquel sordo retumbar que anunciaba el Dum-Dum de los monos.

Ocasionalmente alguno dejaba oír su voz con un rugido de desafío al salvaje estruendo de los antropoides, pero nadie se acercó a investigar ni a atacar, porque los grandes monos, reunidos en tal número, imponían un enorme respeto a sus vecinos de la selva.

Cuando el retumbar del tambor alcanzó un volumen ensordecedor, Kerchak saltó al espacio que mediaba entre el tambor y los machos.

Poniéndose de pie, levantó la cabeza y mirando a la resplandeciente luna, empezó a golpearse en el pecho con los puños y emitió su terrible y salvaje grito.

Una, dos, tres veces el estremecedor sonido recorrió la

frondosa soledad de aquel silencioso mundo.

A continuación salió del círculo, pero sin dejar de mirar con sus pequeños y fieros ojos, inyectados en sangre, el cadáver.

Otro macho saltó a la arena y repitiendo los terribles gritos de su rey se fue tras él. Uno detrás de otro fueron todos repitiendo la misma operación en rápida sucesión, hasta que la selva retumbó con las notas de aquellos formidables gritos cuyo eco parecía no tener fin.

Era el grito de desafío y de victoria.

Cuando todos los machos se unieron al corro de danzantes comenzó el ataque.

Kerchak, cogiendo una pesada estaca de una pila que había a tal efecto, se abalanzó furioso sobre el mono muerto, dándole un golpe tremendo y emitiendo al mismo tiempo gruñidos y rugidos de pelea. Es estruendo del tambor y la frecuencia de los golpes se incrementaban a medida que cada uno de los monos descargaba un golpe a la víctima y se unía al salvaje frenesí de la Danza de la Muerte.

Tarzán era uno más de la salvaje horda danzante. Su moreno y musculoso cuerpo, empapado de sudor resaltaba graciosamente entre aquella turba salvaje.

Nadie representaba mejor el simulacro de la caza, nadie aparentaba más ferocidad, nadie saltaba con más agilidad ni más alto en la Danza de la Muerte que Tarzán.

Según aumentaba la rapidez y la intensidad del batir del tambor, los danzantes parecían intoxicarse más y más con el delirante ritmo y los impresionantes gritos. Sus saltos y giros crecían en violencia y sus bocas estaban cubiertas de espuma.

La increíble danza continuó durante otra media hora hasta que, a una señal de Kerchak, cesó el batir de los tambores y las hembras que los tocaban se fueron a sentar rápidamente entre los espectadores. En ese momento, todos a una, los machos se abalanzaron sobre aquel cuerpo que sus terribles golpes habían reducido a una peluda masa ensangrentada.

Pocas veces tenían la ocasión de llevar a sus bocas carne en cantidad suficiente, por eso el final apropiado a su salvaje orgía era un bocado de carne fresca, y su atención se centraba ahora en devorar al enemigo vencido.

Los fieros colmillos se hincaban en el cuerpo arrancando enormes trozos de carne. Los monos más grandes se llevaban las mejores partes, en tanto que los otros más débiles permanecían rezagados, esperando su turno para conseguir algún trozo ocasional o roer los restos de carne adheridos a los huesos.

Tarzán tenía una necesidad mayor de carne que los monos. Al descender de una raza predominantemente carnívora, nunca daba satisfecho su apetito de comida animal; su ágil y estilizado cuerpo fue atravesando la multitud de excitados machos hasta llegar al cuerpo para conseguir la participación que su relativa debilidad no le permitía obtener por la fuerza.

De su costado colgaba el cuchillo de caza de su desconocido padre, en una rudimentaria funda que había elaborado copiándola de otra que había visto entre las ilustraciones de su tesoro de libros.

Cuando alcanzó el cuerpo, del que iba desapareciendo rápidamente todo vestigio de carne, con su afilado cuchillo cortó un trozo más grande de lo que había esperado conseguir. Todo un brazo, que sobresalía por entre las piernas del gigantesco Kerchak, el cual estaba tan ocupado en ejercer su prerrogativa real de la glotonería, que no se dio cuenta de aquel acto de *lesa majestad.*

Así Tarzán se escabulló por debajo del tropel de monos, apretando la endiablada presa contra el pecho.

Entre los que se encontraban tratando inútilmente de tomar parte en el banquete, estaba el viejo Tublat. Había estado entre los primeros, pero se había retirado con una jugosa participación para comerla tranquilamente y ahora intentaba volver para repetir.

Esa fue la causa de que viera a Tarzán, cuando éste salía de aquel rugiente laberinto llevándose el brazo que había ganado.

Los pequeños y malignos ojos de Tublat se inyectaron de sangre proyectando miradas de odio al objeto de su desprecio. También se veía en ellos el deseo de hacerse con el jugoso bocado que llevaba el muchacho.

Pero Tarzán también vio a su enconado enemigo y adivinando sus pensamientos se fue dando un ágil salto hacia el círculo de hembras y jóvenes con la intención de esconderse entre ellos. Pero Tublat le iba pisando los talones y no le daba tiempo a buscar un lugar para esconderse, no le quedaba otra alternativa que intentar huir.

Con gran ligereza corrió hacia los árboles circundantes y de un salto se agarró con una mano a una de las ramas más bajas, entonces sujetando su carga con los dientes empezó a trepar rápidamente hacia lo alto, seguido de cerca por Tublat.

Siguió subiendo hasta alcanzar la cima de aquel gigante de la selva, a donde su pesado perseguidor no podía seguirle. Allí se quedó lanzando insultos y burlándose de la encolerizada bestia que estaba quince metros más abajo.

Tublat enloqueció de rabia.

Lanzando gritos y gruñidos terribles, se abalanzó contra el lugar donde estaban las hembras y los jóvenes dando dentelladas a diestra y siniestra arrancando trozos de piel e hiriendo a todo el que se le ponía por delante.

La luz de la brillante luna permitió a Tarzán ver perfectamente aquel arranque de furiosa locura. Las hembras y los jóvenes buscaron refugio en los árboles. Entonces le llegó la hora a los machos del centro del anfiteatro de sentir los poderosos colmillos de su enloquecido compañero, y de mutuo acuerdo desaparecieron entre las sombras de la selva circundante.

Solamente había otro mono con Tublat: una hembra que corría hacia el árbol donde estaba Tarzán y Tublat la seguía de cerca.

Era Kala, y tan pronto como Tarzán vió que Tublat ganaba terreno se dejó caer de rama en rama en dirección a su madre adoptiva.

Kala ya estaba debajo de las ramas y más arriba se encontraba Tarzán esperando el resultado de la carrera.

Ella saltó cogiéndose a una de las ramas más bajas, casi encima de Tublat que por centímetros no la había alcanzado. Aparentemente a salvo se oyó un crujido, la rama se desgajó y la hembra cayó encima de la cabeza de Tublat derribándolo.

Ambos se levantaron inmediatamente, pero aún más rápido fue Tarzán, que saltando al suelo se interpuso entre el furioso macho y Kala.

Nada podía satisfacer más a aquella salvaje bestia; con un rugido triunfal saltó sobre el joven Lord Greystoke. Pero sus feroces colmillos nunca llegaron a clavarse en aquella suave y morena piel.

Una mano musculosa se adelantó agarrando la peluda garganta en tanto que otra, blandiendo un afilado cuchillo de caza, golpeaba repetidamente el ancho pecho. Los golpes se repetían con la velocidad del rayo y cesaron tan sólo cuando Tarzán vio caer a sus pies el cuerpo inerte.

Cuando rodó por el suelo, Tarzán de los Monos puso un pie sobre la cabeza de su eterno enemigo y levantando los ojos hacia la luna echó la cabeza hacia atrás y profirió el salvaje y terrible grito de su pueblo.

Poco a poco la tribu fue descendiendo de su refugio arborícola y formó un círculo en torno a Tarzán y el cuerpo de su enemigo. Cuando todos estuvieron reunidos, Tarzán se dirigió a ellos.

"Soy Tarzán", dijo gritando. "Soy un gran matador. Todos han de respetar a Tarzán y a Kala, su madre. No hay nadie más poderoso que Tarzán. ¡Qué sus enemigos tiemblen!"

Mirando a Kerchak directamente a sus malignos ojos, el joven Lord Greystoke se golpeó con los puños el poderoso pecho y lanzó, una vez más, el agudo grito de desafío.

8. EL CAZADOR ARBORICOLA

A la mañana siguiente del Dum-Dum, la tribu se encaminó lentamente, a través de la selva, hacia la costa. El cuerpo de Tublat quedó donde había caído, porque la tribu de Kerchak no comía a sus propios muertos.

La marcha fue un paseo placentero en busca de comida. Había gran abundancia de palmera comestible, ciruelas silvestres, *pisang* y piña silvestre; ocasionalmente, comían pequeños mamíferos, huevos de pájaro, reptiles e insectos. Las nueces las abrían con sus poderosas mandíbulas o, cuando eran muy duras, las golpeaban contra una piedra.

En una ocasión, Sabor se cruzó en su ruta y tuvieron que buscar refugio en las ramas más altas de los árboles, porque aun cuando ella temía sus colmillos cuando iban en grupo, también ellos respetaban de igual modo su ferocidad y fortaleza.

Tarzán, sentado en una rama más baja, directamente sobre el majestuoso y flexible cuerpo que se movía silencioso por entre la maleza, le lanzó una piña al mortal enemigo de su pueblo. La enorme fiera se detuvo volviendo la cabeza para mirar al provocador.

Sacudió su cola con energía y mostró los grandes colmillos con una mueca que arrugó siniestramente su hocico, al tiempo que sus ojos se cerraban hasta formar una estrecha ranura. Toda su expresión denotaba rabia y odio. Mirando directamente a los ojos de Tarzán lanzó su fiero rugido de desafío.

Desde la seguridad de su elevado refugio, el niño-mono contestó con el salvaje desafío de los de su tribu.

Durante un instante los dos se miraron en silencio, hasta que el gran felino se internó en la selva.

Pero en la mente de Tarzán empezó a trazarse un plan. Había matado al fiero Tublat, por lo tanto, era un poderoso luchador. Ahora perseguiría a la taimada Sabor y la mataría. Se convertiría también en un gran cazador.

En lo más profundo de su corazón empezaba a sentir el deseo de cubrir con *ropa* su desnudez, porque había aprendido en sus libros ilustrados que todos los *hombres* se cubrían así, en tanto que los *monos* y los *micos* y los demás animales iban desnudos.

Por lo tanto la *ropa* debía de ser un signo de grandeza; un símbolo de la superioridad del *hombre* sobre los otros animales. Esa debía de ser la razón de llevar aquellas horribles cosas sobre el cuerpo.

Muchas lunas atrás cuando Tarzán era muy pequeño, había codiciado la piel de Sabor, la leona, la de Numa, el león, o la de Sheeta, el leopardo, para cubrir su cuerpo sin pelo y no seguir pareciendose a la repulsiva Histah, la serpiente; pero ahora estaba orgulloso de su lustroso cuerpo, porque le recordaba que descendía de una poderosa raza. En su corazón había un conflicto de voluntades, unas veces deseaba andar desnudo, enorgulleciéndose de su ascendencia, y otras veces deseaba aceptar la costumbre de su especie y ponerse aquellos horribles e incómodos vestidos.

Después de su encuentro con Sabor, la tribu siguió avanzando. En la cabeza de Tarzán iba tomando más fuerza la idea de deshacerse de su enemiga, y durante muchos días no pensó en otra cosa.

Este día, sin embargo, asuntos más inminentes ocuparon su atención.

De pronto todo se oscureció; los ruídos de la selva se apagaron; los árboles se quedaron quietos, como paralizados por la proximidad de algún desastre. Toda la naturaleza estaba a la espera.

En la lejanía se oía un débil murmullo que poco a poco se iba acercando y aumentando en intensidad.

Como movidos por una gigantesca mano, los grandes árboles empezaron a balancearse al unísono, inclinándose cada vez más. Todavía no se oía ningún sonido con excepción de aquel sobrecogedor murmullo del viento.

Súbitamente, los gigantes de la jungla recobraron su

posición sacudiendo sus copas como en un movimiento de protesta. En el plúmbeo cielo cubierto de nubes amenazadoras se vio un fulgurante resplandor de cegadora luz. Se oyó el ensordecedor rugido del trueno, y empezó a llover sobre la selva como si se hubieran desatado todas las fuerzas del infierno.

Temblando de frío a causa de la lluvia, la tribu procuraba cobijo acurrucándose al pie de los grandes árboles. Una y otra vez el resplandor de los relámpagos rompía la oscuridad, iluminando las ramas azotadas por la salvaje fuerza del viento.

De vez en cuando un viejo patriarca de la selva derribado por la destructora fuerza de un rayo, arrastrando en su caída innumerables ramas y árboles más pequeños aumentaba el caos y la confusión.

Ramas grandes y pequeñas, arrancadas por la fuerza del huracán, eran lanzadas a través de la espesura llevando consigo la muerte y destrucción de innumerables habitantes del densamente poblado mundo de la selva.

Durante horas, la furia de la tormenta continuó sin amainar, la tribu siguió acurrucada temblando de frío y de miedo. Expuesta al constante peligro de las ramas que caían y paralizada por el resplandor de los relámpagos y el estremecedor estruendo de los truenos continuó agazapada hasta que pasó la tormenta.

Paró tan de repente como había empezado. El viento se calmó y el sol brilló otra vez; la naturaleza volvía a sonreir.

Las goteantes hojas y ramas y los húmedos pétalos de las flores brillaron con el resplandor del día. Al igual que la naturaleza, también sus hijos olvidaron. La vida reanudó su curso, como antes de la oscuridad y el temor.

Aquello le sirvió a Tarzán para comprender el misterio de la *ropa*. ¡Qué a gusto habría pasado la tormenta con la piel de Sabor! Eso añadía otro incentivo más a su aventura.

La tribu merodeó por las cercanías de la cabaña de Tarzán durante varios meses, permitiendo a éste reemprender sus estudios. Pero siempre que viajaba a través de la selva llevaba el lazo a punto, y fueron muchos los pequeños animales que cayeron víctimas de su abrazo.

En una ocasión se ciñó en torno al corto cuello de Horta, el jabalí, pero el violento tirón que dio el animal para liberarse hizo caer a Tarzán de la rama en que se encontraba.

Al oír la caída de Tarzán, el fiero animal dio la vuelta y al ver que se trataba tan sólo de un mono joven, agachó la cabeza y cargó contra el sorprendido muchacho.

Afortunadamente, Tarzán no se había hecho daño pues había caído como un gato, sobre las cuatro extremidades. Enseguida se puso de pie y saltando con la agilidad del mono que era, se cogió de una rama, frustrando el demoledor ataque de Horta.

Esta experiencia enseñó a Tarzán las limitaciones y ventajas de su singular arma.

En esta ocasión había perdido una cuerda, pero comprendió que de haber sido Sabor la causante de su caída, el resultado hubiera sido muy distinto, porque habría perdido la vida en la empresa.

Le llevó varios días confeccionar otra cuerda, pero cuando la tuvo terminada salió con el exclusivo propósito de cazar. Escondido entre el espeso follaje de una rama que cruzaba el arroyo, ojeaba la posible presa.

Dejó pasar sin molestias varios pequeños animales. No quería unas piezas tan insignificantes. Deseaba probar su nueva treta con un animal fuerte.

Por fin apareció la que esperaba, con sus elásticos músculos moviéndose bajo la reluciente piel, allí venía la opulenta y lustrosa Sabor, la leona.

Sus enormes garras se apoyaban suave y silenciosamente. Llevaba la cabeza alta, alerta; su rabo azotaba el aire con movimientos elegantes y sinuosos.

Poco a poco se fue acercando al lugar donde Tarzán de los Monos acechaba entre las hojas del árbol, con el lazo listo para entrar en acción.

Como una figura de bronce, inmóvil como la misma muerte, Tarzán esperaba. Sabor pasó por debajo. Dio un paso, otro, un tercero, y la silenciosa soga descendió sobre ella.

Durante un instante, el lazo quedó suspendido sobre

su cabeza como una serpiente, y al mirar hacia arriba para saber el origen de aquel ligero zumbido, el lazo cayó en torno a su cuello. Con un rápido movimiento, Tarzán cerró el lazo fuertemente sobre la reluciente garganta, tirando con ambas manos.

Sabor estaba atrapada.

Dando un salto, la sorprendida bestia se dirigió hacia la selva, pero Tarzán no estaba dispuesto a perder esta cuerda de la misma forma que la anterior. La experiencia le había enseñado. Cuando la leona iniciaba su segundo salto sintió la soga clavarse en su cuello, dió una cabriola en el aire y cayó pesadamente de espaldas. Tarzán había atado el otro extremo de la cuerda al tronco del árbol.

Hasta ese momento el plan había funcionado a la perfección, pero cuando cogió la cuerda poniéndose detrás de la bifurcación de dos gruesas ramas y empezó a tirar, se dio cuenta de que arrastrar a aquella poderosa y rugiente masa de músculos de acero al árbol y colgarla era una tarea muy superior a sus fuerzas.

El peso de Sabor era enorme, y cuando braceaba con sus enormes garras, se necesitaba tener la fuerza de Tantor, el elefante, para moverla.

La leona se volvió para ver, al autor de la humillante trampa. Soltando un rugido de rabia atacó dando un enorme salto en dirección a Tarzán, pero cuando con su enorme cuerpo alcanzó la rama donde había estado Tarzán, él ya no se encontraba allí.

Se había cambiado a otra rama más arriba. Durante un momento, Sabor colgó de la rama, mientras Tarzán se burlaba de ella y le lanzaba ramas y frutos a la cabeza.

La fiera cayó al suelo otra vez y Tarzán volvió a coger la cuerda, pero Sabor ya había descubierto que lo que la tenía presa no era más que una cuerda delgada y cogiéndola entre sus mandíbulas la cortó antes de que Tarzán tuviera tiempo de volver a tirar del estrangulador lazo.

Tarzán quedó muy frustrado. Su bien planeada estratagema había fracasado, y allí estaba ahora gruñendo y haciendo gestos de burla a la rugiente bestia que se paseaba por debajo de él.

Sabor estuvo varias horas debajo del árbol y saltó cuatro veces para tratar de cazar aquel duende danzante, con el mismo resultado que si hubiera intentado cazar al viento que acariciaba las copas de los árboles.

Finalmente, Tarzán se cansó de aquel juego y dando un grito de desafío tiró un fruto maduro que se aplastó en la cara de su enemigo y se fué por las ramas de los árboles, a unos diez metros del suelo, al encuentro de su tribu.

Cuando llegó contó su aventura hinchando el pecho y jactándose tanto que incluso sus peores enemigos se impresionaron, en tanto que Kala daba saltos de orgullo y alegría.

9. HOMBRE Y HOMBRE

La salvaje vida de Tarzán de los Monos continuó sin demasiados cambios durante varios años, con la única diferencia de que se hizo más fuerte y de que, gracias a sus libros, aprendió cada vez más sobre los extraños mundos que existían más allá de su primitiva selva.

La vida nunca le resultaba ni monótona ni aburrida. En las pequeñas lagunas y riachuelos solía pescar a Pisah, el pez, y Sabor y sus feroces parientes lo mantenían continuamente alerta y hacían excitantes y peligrosos sus paseos por el suelo.

Muchas veces le daban caza, pero mucho más a menudo era él el perseguidor, y aunque nunca lograban alcanzarlo con sus afiladas garras, había ocasiones en que no hubiera podido pasar ni una hoja entre su cuerpo y las garras de los felinos.

Sabor era rápida y rápidos eran Numa y Sheeta, pero Tarzán de los Monos era un relámpago.

Con Tantor, el elefante, hizo amistad. Nadie sabe cómo. Pero los habitantes de la selva vieron muchas veces a Tantor y a Tarzán de los monos pasear juntos bajo la luz de la luna, e incluso vieron a Tarzán montar sobre la espalda de Tantor.

Durante aquellos años, Tarzán pasaba muchos días en la cabaña, donde aún reposaban los restos de sus padres y el esqueleto del hijo de Kala. A los dieciocho años leía correctamente y comprendía casi todo lo que decían los diversos libros de la estantería.

También sabía escribir con letras de molde, con relativa rapidez, pero la caligrafía no la había practicado, porque aunque había varias libretas de muestras en su tesoro, había tan pocos manuscritos en la cabaña que no le pareció necesario aprender esa forma de escritura. Sin embargo podía leerla si se esforzaba.

Así, a los dieciocho años, el joven lord, no sabía hablar inglés pero sabía leer y escribir. Nunca había visto a ningún otro ser humano, porque el territorio por el que vagaba su pueblo no estaba regado por ningún río navegable que pudiera servir para transportar a los primitivos indígenas del interior.

Por tres lados estaba cercado de montañas y al frente estaba el océano. Era un hervidero de leones, leopardos y serpientes venenosas. La gran espesura de aquella selva virgen no era demasiado atractiva para ningún hombre aventurero.

Pero un día que Tarzán se encontraba en la cabaña de su padre desentrañando los misterios de un nuevo libro, la paz de la selva quedó turbada para siempre.

Por el extremo oriental, una extraña caravana apareció sobre la cima de una de las montañas.

Al frente iban unos cincuenta guerreros negros armados con delgadas lanzas de madera, cuyos extremos habían sido endurecidos a fuego lento, largos arcos y flechas envenenadas. A la espalda llevaban escudos ovalados; de sus narices colgaban grandes anillos y adornaban su ensortijado pelo con plumas de hermosos colores.

En la frente tenían tatuadas tres líneas paralelas de color y a cada lado del pecho tres círculos concéntricos. Sus dientes estaban afilados en punta, y sus gruesos y prominentes labios exageraban aún más su brutal aspecto. Detrás seguían varios cientos de mujeres y niños; las primeras portaban sobre sus cabezas grandes bultos con utensilios, enseres y marfil. Cerraba la marcha un grupo de unos cien guerreros de características similares a los de vanguardia.

Por su formación era evidente que temían más la probabilidad de ser atacados por la espalda que cualquier posible peligro que les acechara de frente; y esa era la verdad, porque iban huyendo de los soldados del hombre blanco que los había estado explotando robándolos el marfil y el caucho. Pero un día se habían rebelado contra los conquistadores y habían masacrado al oficial blanco y a su pequeño destacamento de soldados negros.

Durante varios días comieron carne en abundancia,

pero poco después un cuerpo expedicionario bastante numeroso cayó por la noche sobre su poblado y vengó la muerte de sus camaradas.

Aquella noche los soldados negros del hombre blanco tuvieron carne en abundancia, y este reducido resto de la que una vez fuera una tribu poderosa se había introducido en la selva en busca de lo desconocido y de la libertad.

Lo que para aquellos primitivos negros era la libertad y la felicidad, significaba consternación y muerte para muchos de los habitantes de la selva.

Durante tres días la pequeña caravana marchó lentamente a través de esta desconocida región, hasta que llegó, al cuarto día, a un pequeño claro, al lado de un río, cuyos alrededores estaban menos poblados de vegetación que el resto de la selva.

En este lugar decidieron levantar su nuevo poblado. En cuestión de un mes habían ampliado considerablemente el claro, construído cabañas y una empalizada, preparado varios campos para cultivo y empezado a hacer su vida normal en el nuevo hogar. Aquí no había hombres blancos, ni soldados, ni caucho, ni marfil que recoger para los crueles y desagradecidos amos blancos.

Pasaron varias lunas antes de que los negros empezaran a aventurarse lejos de la zona que rodeaba su nueva morada. Varios de ellos habían sido presa de la vieja Sabor, y como la selva estaba infestada de esos fieros y sangrientos felinos, los guerreros de ébano temían alejarse mucho de la seguridad de las empalizadas del poblado.

Pero un día, Kulonga, uno de los hijos del viejo rey Mbonga, se aventuró por entre la espesa maleza del oeste. Avanzaba cauteloso, con la delgada lanza siempre dispuesta, el escudo firmemente cogido en la mano izquierda y pegado a su lustroso cuerpo.

A la espalda llevaba el arco y, en el carcaj del escudo, numerosas flechas, delgadas y derechas, untadas con la espesa pócima que hacía mortal el más leve rasguño.

La noche cogió a Kulonga lejos de la empalizada del poblado de su padre, pero continuó hacia el oeste. Al cabo de un rato subió a un árbol construyó una ruda plataforma y se preparó para dormir.

Seis kilómetros más al oeste dormía la tribu de Kerchak.

Al día siguiente por la mañana, los monos se desperdigaron por la selva en busca de alimento. Tarzán, como de costumbre, se fue en dirección a la cabaña cazando por el camino, de forma que cuando llegó a la playa ya estaba harto.

Los monos se fueron en todas direcciones en parejas, tríos e, incluso solos, pero nunca tan separados que no pudieran oír un grito de petición de ayuda.

Kala iba lentamente siguiendo la senda de los elefantes hacia el este, buscando hongos e insectos entre los troncos y las ramas caídas, cuando percibió un débil sonido que la alarmó.

A unos cincuenta metros delante de ella, en aquella especie de túnel de la selva que era la senda de los elefantes, vio avanzar sigilosamente la figura de una extraña y temible criatura: era Kulonga.

Kala no quiso ver más y dando media vuelta echó a andar rápidamente por el sendero. No corría, pero era costumbre en los de su especie, cuando no estaban agresivos, evitar los enfrentamientos.

Kulonga la seguía de cerca. Allí tenía carne. Podía matarla y comer bien aquel día. Siguió corriendo con la lanza dispuesta para el ataque.

Al volver un recodo del sendero la vio otra vez en un trecho bastante recto del camino. El brazo armado retrocedió, los músculos se tensaron bajo la brillante piel, y el arma salió disparada en dirección a Kala.

Fue un mal tiro, pero se clavó en el costado de Kala.

Con un rugido de dolor y rabia, la hembra se volvió contra su agresor. En cuestión de segundos los árboles empezaron a crujir bajo el peso de sus apresurados compañeros que venían en respuesta al grito de Kala.

Mientras ella se iba acercando, Kulonga cogió el arco y puso una flecha en la cuerda con increíble rapidez. Tensó el arco y soltó el venenoso proyectil que se clavó certeramente en el corazón del gran antropoide.

Con un grito estremecedor, Kala cayó de bruces

delante de los asombrados miembros de su tribu.

Rugiendo y chillando, los monos se lanzaron hacia Kulonga, pero el cauteloso guerrero corría como un gamo asustado sendero abajo.

Conocía algo sobre la ferocidad de aquellos salvajes y peludos homínidos y su único deseo era poner unos kilómetros por medio entre él y ellos.

Lo siguieron por los árboles durante bastante tiempo, pero finalmente uno tras otro fueron abandonando la caza y volvieron al lugar de la tragedia.

Ninguno de ellos había visto nunca a otro hombre que no fuera Tarzán, y se preguntaban qué tipo de extraña criatura sería aquella que había invadido su selva.

Desde la lejana cabaña de la playa, Tarzán oyó débilmente el eco de los gritos, y comprendiendo que algo serio sucedía a la tribu se apresuró a ir.

Cuando llegó vio que toda la tribu estaba reunida en torno al cuerpo muerto de su madre.

La furia y el dolor de Tarzán eran enormes. Una y otra vez lanzó su grito de desafío. Se golpeó el poderoso pecho con los puños y echándose sobre el cuerpo de Kala lloró desconsoladamente.

Había perdido a la única criatura que le había demostrado cariño y afecto en aquel mundo cruel y hostil. Para él aquella era una tragedia irreparable, porque aunque Kala era una mona monstruosa y salvaje, para Tarzán no solamente era buena, era hermosa.

En ella había puesto, sin saberlo, todo el amor, respeto y devoción que un niño normal deposita en su madre. Nunca había tenido otra madre y por eso Kala había recibido todo lo que, de haber vivido, hubiera correspondido a la delicada y bella Lady Alice.

Después de la primera explosión de dolor, Tarzán se serenó y preguntando a los miembros de la tribu que habían presenciado la muerte de Kala se enteró de todo lo que con su reducido vocabulario pudieron explicarle.

Sin embargo era bastante para él. Le hablaron de un extraño mono negro, sin pelo en el cuerpo, que tenía plumas en la cabeza y lanzaba la muerte desde una delgada rama y que había echado a correr con la ligereza de

Bara, el gamo, hacia el sol naciente.

Tarzán no esperó más. Saltando a un árbol se puso en camino atravesando la selva rápidamente de rama en rama. Conocía todos los recovecos de la senda de los elefantes por la que había huído el matador de Kala, y decidió ir en línea recta a través de la jungla para interceptar el paso del guerrero negro que, evidentemente, seguía el tortuoso sendero.

Del costado llevaba colgado el cuchillo de su desconocido progenitor y cruzado sobre el pecho, en bandolera el lazo. Al cabo de una hora saltó sobre el sendero para inspeccionar el suelo minuciosamente.

En la húmeda orilla de un arroyuelo, vio impresas en el barro huellas de unas pisadas como las que solamente él, de entre todos los animales de aquella selva, podía dejar, aunque estas eran mayores. Su corazón latió con fuerza. ¿Significaba aquello que iba tras las huellas de un HOMBRE? ¿De uno de su propia raza?

Las huellas iban en dos direcciones. Eso quería decir que su presa ya había pasado en dirección contraria. Al examinar detenidamente las huellas más frescas notó que eran muy recientes, acababa de pasar hacía muy poco tiempo.

Tarzán volvió a los árboles y siguió el sendero ligera y silenciosamente desde la altura. Aún no habría recorrido un par de kilómetros cuando vio al guerrero negro parado en un pequeño ensanchamiento del sendero. En sus manos tenía el esbelto arco en el que había preparado una de sus mortíferas flechas.

Enfrente de él, con la cabeza baja, y preparándose para atacar, estaba Horta, el jabalí.

Tarzán observaba maravillado a la extraña criatura que estaba debajo de él —tan parecida a él en forma, y sin embargo tan distinta en el color y en las facciones. En sus libros había visto figuras representando al *Negro*, pero que distinta era aquella burda representación comparada con esta esbelta y vital figura de ébano.

En aquel hombre, Tarzán no sólo había reconocido al *Negro*, sino también al *Arquero* de su libro ilustrado:

¡Era fantástico! Tarzán casi descubre su presencia con la emoción del descubrimiento.

Pero abajo estaba empezando a suceder algo. El musculoso brazo negro tensó el arco: Horta, el jabalí, estaba a punto de atacar y entonces el negro soltó la flecha envenenada. Tarzán la vio volar con la rapidez del pensamiento y clavarse en el cuello del jabalí.

No había casi salido la flecha del arco, cuando Kulonga ya tenía preparada otra, pero Horta, el jabalí, se acercaba tan velozmente que no le dio tiempo a dispararla. De un magnífico salto, el negro pasó por encima de la enfurecida bestia y volviéndose con increíble rapidez clavó otra flecha en el lomo de Horta.

Entonces Kulonga se subió a un árbol cercano.

Horta dio la vuelta para cargar otra vez contra su enemigo, anduvo unos cuantos pasos, trastablilló y cayó de costado. Durante un momento su cuerpo sufrió una serie de convulsiones y quedó inerte.

Kulonga bajó del árbol.

Con el cuchillo que llevaba en el costado cortó varios trozos de carne, y haciendo una pequeña hoguera en medio del sendero se dispuso a cocinar la carne y a comer tranquilamente.

Tarzán observaba todo aquello con gran interés. El deseo de matar le quemaba en el pecho, pero su deseo por aprender era aún mayor. Seguiría a la extraña criatura durante un trecho hasta saber de donde procedía. Podía matarlo más tarde con toda tranquilidad, cuando dejara a un lado el arco y las mortíferas flechas.

Cuando Kulonga acabó de comer y se fue sendero adelante. Tarzán saltó del árbol silenciosamente. Con su cuchillo cortó varios trozos de carne del cuerpo de Horta, pero no lo cocinó.

Había visto el fuego antes, cuando Ara, el rayo, había destruído algún árbol. El que una criatura de la selva pudiera producir aquellas lenguas rojas y amarillas que devoraban la madera reduciéndola a un polvo fino, sorprendió mucho a Tarzán. Tampoco comprendía cómo el guerrero negro había destruido su deliciosa comida metiéndola en el fuego. Tal vez es que el arquero era amigo de Ara y compartía con el la comida.

Lord Greystoke se limpió las manos en los desnudos muslos y siguió la huella de Kulonga, el hijo de Mbonga, el rey; en tanto que en el distante Londres, otro Lord Greystoke, el hermano más joven del padre del auténtico Lord Greystoke, le devolvía los filetes al *chef* de su club porque no estaban bien hechos, y cuando acababa de comer mojaba las puntas de los dedos en un lavamanos de plata lleno de agua perfumada y las secaba a continuación con una delicada servilleta de damasco.

Tarzán siguió a Kulonga durante todo el día, moviéndose sobre su cabeza como un espíritu maligno. Lo vio disparar sus mortíferas flechas otras dos veces: una contra Dango, la hiena, y otra contra Manu, el mico. En ambas ocasiones los animales murieron casi instantáneamente, porque el veneno de Kulonga estaba muy fresco y era muy activo.

Tarzán pensó mucho en aquel maravilloso método de matar, mientras seguía, a cierta distancia, a su presa. Estaba seguro de que la pequeña herida que producía la flecha no podía matar tan rápidamente a los animales salvajes de la selva, que muchas veces sufrían heridas brutales a manos de sus vecinos y a menudo sobrevivían. Tenía que haber otra razón.

Había algo misterioso conectado con aquellas delgadas varillas de madera para que produjeran la muerte con un simple rasguño. Tenía que descubrir el enigma.

Aquella noche, Kulonga durmió subido en un gigantesco árbol, y unos metros más arriba estaba Tarzán de los Monos.

Al despertar, Kulonga vio que el arco y las flechas le habían desaparecido. El guerrero negro estaba furioso y asustado, pero más asustado que furioso. Buscó por todas partes, por el árbol y por el suelo pero no encontró ni rastro del arco ni de las flechas, ni del merodeador nocturno.

Kulonga estaba aterrorizado. Había arrojado su lanza

a Kala y no la había recuperado, y ahora que el arco y las flechas habían desaparecido se encontraba prácticamente indefenso, no le quedaba más que el cuchillo. Su única salvación estaba en llegar al poblado de Mbonga tan rápidamente como se lo permitieran sus piernas.

Sabía que no estaba muy lejos y emprendió un trote rápido.

A pocos metros de distancia lo seguía Tarzán de los Monos entre el espeso e impenetrable follaje.

El arco y las flechas de Kulonga estaban a buen recaudo, atados firmemente en la alta copa de un árbol, del que una mano armada con un cuchillo había arrancado una larga tira de la corteza y una rama había sido desgajada y colgaba a unos quince metros de altura. Esta era la forma en que Tarzán marcaba los lugares donde escondía los productos de sus correrías.

Kulonga seguía corriendo y Tarzán continuaba su persecución casi por encima del negro. Ahora llevaba el lazo en la mano preparado para atacar.

La venganza se había retrasado porque Tarzán deseaba saber a donde iba el guerrero negro. Su espera fue recompensada, porque pronto llegaron a un gran claro en cuyo extremo había muchos cubiles extraños.

Tarzán estaba justo encima de Kulonga, cuando hizo el descubrimiento. La selva acababa de repente y a continuación había una explanada de campos sembrados que se interponía entre la selva y el poblado.

Tenía que actuar con rapidez si no quería que se escapara su presa; pero en la educación de Tarzán la decisión y la acción eran cosas simultáneas. Los casos de emergencia no daba tiempo ni siquiera a la posibilidad de duda.

En el momento en que Kulonga iba a traspasar la línea de la selva, un lazo serpenteó sobre su cabeza, y cuando el hijo de Mbonga aún no había dado una docena de pasos notó la presión del lazo sobre su cuello.

Tarzán de los Monos tiró con tanta rapidez de su presa que el grito de alarma de Kulonga se ahogó en su garganta hasta que dejó colgado al pataleante negro; subió a una rama más alta arrastrando consigo a su víctima pa-

ra ocultarla entre el follaje del árbol. Ató firmemente la cuerda a otra rama, y se acercó para clavar el cuchillo en el corazón de Kulonga. Kala estaba vengada.

Tarzán examinó detenidamente al negro, porque nunca antes había visto a otro ser humano. La correa que sujetaba la funda del cuchillo llamó su atención y la cogió para él. La tobillera de cobre también le gusto y se la puso en la pierna.

Examinó, admirado, los tatuajes de la frente y del pecho y se maravilló ante los afilados dientes. También se apropió del tocado de plumas y entonces se dedicó a lo más importante. Tarzán de los Monos tenía hambre, allí había carne y la ley de la selva permite comer carne de la presa.

¿Bajo qué reglas de moralidad podemos juzgar a este hombre-mono con la apariencia de un caballero inglés y la educación de una fiera salvaje?

Había matado a Tublat, su gran eterno e irreconciliable enemigo, en una pelea noble, y sin embargo nunca se le había pasado por la cabeza la posibilidad de comer la carne de Tublat. Para él aquello era tan repugnante como lo es el canibalismo para nosotros.

Pero Kulonga era distinto, podía comerlo con la misma satisfacción que a Horta, el jabalí, o a Bara el gamo. El no era más que otra de las innumerables fieras de la selva que se dan caza entre sí para satisfacer el hambre.

De pronto se le planteó una duda. ¿No decían sus libros que él era un hombre? ¿No era el Arquero otro hombre?

¿Comían los hombres a los hombres? No tenía ni la menor idea. ¿Por qué dudaba? Volvió a intentarlo, pero sintió náuseas. No comprendía nada, pero una cosa era segura: no podía comer la carne del guerrero negro. El instinto hereditario de milenios abría camino en su primitivo cerebro y lo salvó de transgredir una ley universal cuya existencia desconocía.

Bajó el cuerpo de Kulonga al suelo, le quitó el lazo y se internó en la selva.

10. EL FANTASMA DEL MIEDO

Desde una rama baja, Tarzán observó el poblado de cabañas de paja, al otro lado de la plantación.

Pudo ver que en uno de sus lados, el poblado estaba pegado a la foresta y dirigió su marcha hacia ese lugar, atraído por un febril deseo de espiar a aquellos animales de su propia especie, y para conocer más de cerca su forma de vida y los extraños cubiles en que se resguardaban.

Su vida entre las fieras de la selva no dejaba lugar a dudas sobre que eran enemigos.

La apariencia similar a la suya de aquellos seres no implicaba que fueran a recibirlo bien si lo descubrían. Tarzán de los Monos no era un sentimental. Desconocía por completo el sentimiento de la fraternidad humana. Todo lo que existía fuera de su tribu era un posible enemigo, con excepción de Tantor, el elefante, y poco más.

Este sentimiento carecía de todo vestigio de odio o maldad. Matar era la ley del salvaje mundo en que se había criado. Sus placeres eran pocos y primitivos, pero el más grande era cazar y matar, y concedía a los otros animales el mismo derecho, aun cuando él mismo podía ser objeto de caza.

Su experiencia vital no lo hacía ni irascible ni sanginario. El que le gustara cazar y lo hiciera con una sonrisa en su bien formada boca, no implicaba, en modo alguno, crueldad. La mayoría de las veces mataba para comer, pero, siendo un hombre, algunas veces mataba por placer, algo que no hace ningún otro animal. Solamente el hombre, entre todos los animales, mata sin motivo y con crueldad, por el simple hecho de provocar sufrimiento y muerte.

Cuando mataba por venganza o en autodefensa, lo hacía sin problemas porque era un hecho tan natural que no necesitaba disculpa.

Por eso ahora, mientras avanzaba cautelosamente hacia el poblado, iba preparado para matar, o para que lo mataran si lo descubrían. Avanzaba con cautela pues con Kulonga había aprendido a respetar adecuadamente aquellas varillas de madera que casi siempre provocaban una muerte instantánea.

Alcanzó un árbol de espeso follaje y rodeado de gigantescas plantas trepadoras. Desde este impenetrable escondrijo que se alzaba por encima de la empalizada del poblado, se dispuso a observar lo que ocurría en aquel recinto, tratando de grabar en su mente los detalles más sobresalientes de aquella forma de vida que desconocía. Había niños desnudos corriendo y jugando entre las chozas del poblado. Vio mujeres moliendo plantas secas en morteros de piedra, otras haciendo pan con el grano molido. En el sembrado otras mujeres cavaban, sembraban y recogían los primeros frutos de la cosecha.

Todas tenían alrededor de la cintura una especie de fajas de hierba seca y muchas llevaban brazaletes y tobilleras de cobre y bronce. Otras llevaban collares curiosamente trabajados, y aún otras aumentaban su ornamentación con grandes aros colgados en la nariz.

Se dio cuenta de que solamente trabajaban las mujeres, pués no vio ni un solo hombre realizando ningún tipo de trabajo.

Tarzán de los Monos miraba asombrado aquellas extrañas criaturas. Descansando bajo la sombra había varios hombres y cerca de la línea divisoria entre la selva y el claro donde estaba asentado el poblado pudo ver a algunos guerreros armados que parecían guardar la aldea contra la posibilidad de un ataque por sorpresa.

Por último, sus ojos se posaron sobre una mujer que estaba casi debajo de donde él se encontraba.

Delante de ella había un pequeño caldero calentándose al fuego, en el que burbujeaba una masa rojiza y espesa. A un lado de la mujer había un montón de flechas de madera. La mujer se dedicaba a introducir las puntas de las flechas en la gelatinosa poción y después las ponía a secar sobre un entramado de ramas.

Tarzán de los Monos miraba fascinado; aquel era el

secreto de los mortíferos misiles del Arquero. Percibió el cuidado extremo con que la mujer evitaba tocar con la mano aquella mezcla pastosa: cuando casualmente alguna gota le salpicaba los dedos metía la mano rápidamente en agua y la secaba con un puñado de hojas.

Tarzán no sabía nada de venenos, pero su despierta inteligencia le decía que el mejunje era lo que mataba y y la delgada flecha, era el mensajero que introducía la substancia en el cuerpo de la víctima.

¡Cómo le gustaría tener más de aquellas mortíferas varillas! Si la mujer se marchara un rato, podría saltar al suelo, coger un puñado y estar de vuelta en el árbol antes de que ella se enterara.

Estaba pensando un plan para distraer a la mujer cuando oyó un grito al otro lado de la explanada. Miró hacia allí y vio a un guerrero negro que estaba al pie del árbol en donde había matado al asesino de Kala hacía una hora.

El hombre gritaba y blandía su lanza por encima de la cabeza. De vez en cuando señalaba algo que yacía a su lado.

Se armó un gran revuelo. Del interior de las chozas salieron hombres armados corriendo en dirección al gesticulante centinela. Detrás seguían los viejos, las mujeres y los niños. En poco tiempo el poblado quedó desierto.

Tarzán de los Monos se dio cuenta de que habían encontrado el cuerpo de su víctima, pero lo que más le importaba en aquel momento era que en la aldea no quedaba nadie que le impidiera llevarse las flechas.

Rápida y silenciosamente se dejó caer al suelo, al lado del caldero de la pócima. Durante un momento no se movió e inspeccionó de una rápida ojeada el interior de la empalizada.

No había nadie a la vista. Sus ojos se posaron sobre la puerta abierta de una choza cercana. Echaría un vistazo al interior, pensó Tarzán, y cautelosamente se aproximó a la construcción.

Se paró un momento fuera, escuchando atentamente. No se oía nada, y se internó en la semioscuridad del interior.

Había armas colgadas de las paredes —lanzas, cuchillos de forma extraña y un par de estrechos escudos. En el centro del habitáculo una cacerola; y en uno de los extremos, un montón de hierbas secas cubierto con una tela, seguramente la cama. En el suelo vio varios cráneos humanos.

Tarzán tocó todos los objetos, sopesó las lanzas y las olió, ya que en cierto modo "veía" por medio de su finísimo sentido del olfato. Deseaba enormemente tener uno de aquellos largos bastones puntiagudos, pero esta vez no podría ser, porque prefería llevarse las flechas.

Puso todos los objetos de las paredes en el centro de la choza. Encima del montón puso la cacerola invertida y sobre ella colocó uno de los cráneos decorado con el casco de plumas de Kulonga.

Dio un paso atrás para ver mejor su obra e hizo una mueca simulando una sonrisa. A Tarzán de los Monos le gustaba hacer bromas.

En ese momento se empezaron a oír voces y lamentos. Le sorprendió que hubiera pasado tanto tiempo. Fue rápidamente hasta la puerta y miró en dirección a la entrada del poblado.

Se oían las voces, pero los indígenas aún no se veían, aunque debían estar muy cerca.

Como una exhalación se echó sobre las flechas y cogió tantas como pudo cargar debajo del brazo. De una patada volcó el caldero y desapareció entre el follaje justo cuando los primeros nativos hacían su entrada en el poblado. Se quedó un rato observando preparado para emprender una rápida huída a la primera señal de peligro.

Los indígenas se agolpában entre las cabañas y cuatro de ellos llevaban el cuerpo inerte de Kulonga. Detrás venían las mujeres lanzando extraños gritos y lamentos. Se pararon delante de la cabaña de Kulonga, era, casualmente, la misma en la que había estado Tarzán.

No había entrado en ella ni una docena de hombres cuando salieron dando gritos de asombro. Los otros se apresuraron a averiguar el motivo de su sorpresa. Gesticulaban agitadamente, señalando el interior. Entonces, varios guerreros entraron.

Al cabo de un rato, un anciano que llevaba colgado sobre el pecho varios ornamentos de metal y un rosario de manos disecadas entró en la cabaña.

Era Mbonga, el rey, padre de Kulonga.

Durante un tiempo todo estuvo en silencio. Cuando Mbonga salió, había en su cara una terrible expresión de ira y temor supersticioso. Dijo unas pocas palabras a los guerreros, e inmediatamente los hombres recorrieron el poblado registrando minuciosamente todos los rincones.

Lo primero que descubrieron al empezar la búsqueda, fue el caldero volcado y la desaparición de las flechas envenenadas. Nó encontraron nada más y los indígenas se reunieron en torno a su jefe como un rebaño asustado.

Mbonga no podía explicarse el extraño suceso. El descubrimiento del cadáver aún caliente de Kulonga —casi a las puertas del poblado— acuchillado y desnudo, ya era de por sí bastante misterioso, y ahora la profanación de la cabaña del propio Kulonga llenaba sus corazones de temor. En su ignorancia no encontraban más que terribles explicaciones supersticiosas.

Formando pequeños corros hablaban, temerosos, en voz baja. De vez en cuando, con sus grandes ojos, echaban miradas asustadas a su alrededor.

Tarzán los observaba desde su escondrijo. En su comportamiento había muchas cosas que no comprendía, porque él desconocía las supersticiones y, en cuanto al miedo, no tenía más que una vaga noción de lo que era.

El sol estaba ya muy alto. Tarzán aún no había comido y los restos de Horta, el jabalí quedaban a muchos kilómetros de allí.

Así que, dando la espalda al poblado de Mbonga, desapareció en la espesura.

11. "REY DE LOS MONOS"

Aún no había anochecido cuando, después de devorar los restos del jabalí que había cazado el día anterior y de recoger el arco y las flechas de Kulonga en el árbol en que estaban escondidos, llegó a la tribu bien provisto de trofeos. Hinchando el pecho contó su hazaña y mostró su botín.

Kerchak gruñó y dio media vuelta, porque estaba celoso de aquel extraño miembro de su banda. Su pequeño y maligno cerebro buscaba una disculpa para desatar su odio sobre Tarzán.

Al día siguiente, con las primeras luces del amanecer, empezó a practicar con el arco y las flechas. Al principio perdía casi todos los proyectiles que disparaba, pero poco a poco fue aprendiendo a dirigirles con cierta precisión. Al cabo de un mes ya era un tirador bastante experto, aunque su habilidad le había costado casi toda su provisión de flechas.

La tribu seguía teniendo abundancia de caza y alimento en las cercanías de la playa, y Tarzán de los Monos alternaba sus prácticas de tiro con la investigación en los libros de su padre.

En esta época, el joven lord inglés encontró, escondida detrás de uno de los estantes de la cabaña, una pequeña caja metálica. Tenía la llave en la cerradura y después de probar y experimentar un rato consiguió abrir la caja. Encontró una fotografía descolorida de un hombre joven de expresión agradable, un medallón de oro, con incrustaciones de diamantes una cadena también de oro, varias cartas y un libro pequeño.

Tarzán estudió estos objetos minuciosamente; la fotografía era lo que más le gustaba, porque tenía unos ojos alegres y su cara tenía una expresión franca y amable. Era su padre.

El medallón también le gustó y se lo puso alrededor

del cuello, imitando los adornos que había visto llevar a los negros. Las piedras brillaban extrañamente contra su morena y suave piel.

Las cartas casi no pudo descifrarlas, porque no había aprendido caligrafía, y las puso otra vez en la caja, con la fotografía y empezó a hojear el libro.

Tenía una escritura muy bien hecha pero, aunque los pequeños insectos le eran familiares, su ordenación y combinación le resultaba totalmente desconocida.

Hacía tiempo que Tarzán sabía usar el diccionario pero, para su sorpresa y frustración, vió que en esta ocasión no le servía.

Ni siquiera una de las palabras del escrito se encontraban en el diccionario. Entonces lo devolvió a la caja, con la firme decisión de desentrañar el misterio en otra ocasión.

No podía imaginar que aquel libro guardaba entre sus hojas la llave de su origen —la solución al enigma de su extraña existencia. Era el diario de John Clayton, Lord Greystoke, escrito en francés.

Tarzán puso otra vez la caja en la estantería, pero desde aquel día llevó grabados en su mente las facciones de aquella cara de expresión amable y enérgica, y la determinación de resolver el misterio de las extrañas palabras del pequeño libro negro.

En aquel momento tenía cosas más importantes que hacer. Se le había acabado su provisión de flechas y necesitaba volver al poblado de los hombres negros a buscar más.

Se puso en camino al día siguiente, por la mañana temprano. Viajó con rapidez y al mediodía llegó a la explanada. Se escondió en el mismo árbol de la vez anterior. Todo seguía igual, las mujeres trabajaban en diversas faenas en el campo y en el poblado, y debajo de él estaba el caldero de hirviente veneno.

Estuvo esperando varias horas la oportunidad de escurrirse sigilosamente y coger las flechas, pero no ocurrió nada que hiciera salir a los indígenas de sus hogares. El día tocaba a su fin y Tarzán seguía agachado en su refugio sobre la confiada mujer que atendía el caldero.

Poco a poco, las trabajadoras de los sembrados regresaron al poblado. Cuando los guerreros volvieron de la caza y todos estuvieron dentro, cerraron las puertas de la empalizada.

Las mujeres empezaron a preparar la comida delante de las cabañas. En las pequeñas hogueras se calentaban las cacerolas con un extraño estofado. Acompañaban su comida con panecillos de llanten y mandioca.

De pronto se oyó un griterío fuera de la empalizada.

Tarzán miró.

Era un grupo de guerreros que volvía del norte. Llevaban, semiarrastrado y forcejeando, un animal.

Las puertas de la empalizada se abrieron para dejarlos entrar. Cuando la gente vió la pieza cazada, de todas las gargantas salió un grito salvaje: la víctima era un hombre.

Mientras era llevado a través del poblado, las mujeres y los niños lo golpeaban con piedras y palos. Tarzán de los Monos, una joven y salvaje fiera de la selva se quedó perplejo ante aquella muestra de crueldad de su propia especie.

De todos los animales de la selva, tan sólo Sheeta, el leopardo, torturaba a sus presas. El resto de los animales procuraban a sus víctimas una muerte rápida y clemente.

Tarzán había aprendido en sus libros muy pocas cosas sobre las costumbres del hombre y, además, de forma muy fragmentada e incompleta.

Cuando siguió a Kulonga a través de la jungla había esperado encontrar una ciudad de extrañas casas sobre ruedas, echando humo negro por un árbol plantado en el techo de una de ellas, o un mar cubierto de enormes edificios flotantes que sabía que se llamaban barcos, botes, veleros o cargueros.

Se había quedado muy decepcionado ante la vista de aquel miserable poblado de negros escondidos en su propia selva, y que ni siquiera tenía una casa tan grande como su pequeña cabaña de la playa.

Vio que aquellos seres eran más malvados que sus propios monos, y tan crueles y salvajes como Sabor. Tarzán empezó a despreciar a su propia especie.

Acaban de atar a la pobre víctima a un poste situado en el centro del poblado, delante de la choza de Mbonga. Haciendo un corro a su alrededor, los guerreros danzaban armados con afilados cuchillos y puntiagudas lanzas.

Las mujeres, sentadas en circulo, rodeaban la escena y lanzaban gritos pavorosos mientras golpeaban unos tambores. Aquello le recordó a Tarzán el Dum-Dum, y se imaginó lo que iba a suceder. Se preguntó si se abalanzarían sobre él para devorarlo mientras aún estaba vivo. Ni siquiera los monos harían una cosa así.

El corro de guerreros se fue ciñendo más y más en torno al cautivo mientras proseguían su danza embriagadora y frenética al son de los tambores. Una lanza se adelantó hiriendo al condenado. Fue la señal, otras cincuenta siguieron su ejemplo.

Ojos, orejas, brazos y piernas; cada centímetro no vital de aquel pobre e infortunado cuerpo fue traspasado por los crueles lanceros.

Las mujeres y los niños chillaban agudamente. Los guerreros chasqueaban sus lenguas como anticipándose al festín que les aguardaba, compitiendo en el salvajismo y la crueldad de las torturas que infligían al todavía consciente prisionero.

En ese momento Tarzán tuvo la oportunidad que esperaba. Todos los ojos estaban fijos en el siniestro espectáculo del poste. La luz del día había dado paso a la oscuridad de una noche sin luna, y tan sólo las hogueras de las proximidades de la orgía alumbraban la infernal escena.

Sigilosamente, el muchacho se dejó caer sobre la blanda arena del poblado. Rápidamente cogió las flechas. Y esta vez las cogió todas porque había tenido la precaución de llevar consigo varios trozos de cuerda para atarlas en un haz.

Sin darse demasiada prisa las ató firmemente. Pero cuando ya se iba le pasó por la cabeza una idea. Pensó hacer una jugarreta a aquellas extrañas y grotescas criaturas para que se apercibieran de su presencia entre ellos.

Dejando el haz de flechas al pie del árbol, Tarzán se deslizó por las sombras hasta llegar a la misma cabaña en la que había estado la vez anterior.

En su interior la oscuridad era total. A tientas encontró el objeto que buscaba y sin perder más tiempo se dirigió a la puerta.

En ese momento su fino oído percibió pasos que se acercaban. Inmediatamente después la figura de una mujer apareció en la puerta de la cabaña.

Tarzán retrocedió silenciosamente hacia el fondo de la cabaña y su mano se cerró sobre la empuñadura del cuchillo de su padre. La mujer se dirigió presurosa al centro de la choza. Allí se paró un instante buscando algo a tientas con las manos. Se notaba que el lugar no le era familiar, porque incluso palpó la pared cercana a Tarzán.

Estaba tan cerca que el hombre-mono sentía el calor de su cuerpo desnudo. Tenía ya desenfundado el cuchillo cuando la mujer se paró encontrando lo que buscaba. Después dio la vuelta para salir de la choza. Al cruzar la puerta, Tarzán distinguió una cacerola en la mano.

El salió inmediatamente tras ella y al ojear el terreno desde la puerta, vió que las mujeres entraban y salían de las cabañas con cacerolas y llenándolas de agua las pusieron a calentar en las hogueras cerca del poste donde la atormentada víctima, ahora convertida en una masa ensangrentada, pendía inerte.

En un momento en que nadie miraba en aquella dirección, Tarzán corrió hacia el haz de flechas que dejara debajo del árbol. Al igual que la vez anterior volcó el caldero antes de saltar al árbol con la agilidad de un gato.

Trepó silenciosamente a la parte más alta del gigante vegetal hasta que encontró un lugar desde donde podía ver la escena que se desarrollaba en el poblado.

Las mujeres estaban preparando al prisionero para cocinarlo en sus cacerolas, en tanto que los hombres descansaban de la fatiga provocada por su salvaje danza. En el poblado reinaba una relativa calma.

Tarzán alzó en la mano el objeto que había cogido en la choza y, con una práctica adquirida durante muchos años lanzando cocos, los arrojó contra el grupo de salvajes.

Cayó en medio de ellos, golpeando a uno en la cabeza y derribándolo. El objeto siguió rodando por entre las mujeres y fue a detenerse delante del casi descuartizado prisionero.

Todos miraron consternados el objeto, y como de mútuo acuerdo corrieron a refugiarse en sus cabañas.

Era un cráneo humano que los miraba desde el suelo con su risa macabra. La caída del cielo de esa calavera era un milagro que iba a aumentar sus miedos supersticiosos hacia la presencia de un invisible y diabólico poder sobrenatural que los acechaba desde la selva.

Cuando más tarde descubrieron el caldero volcado y la desaparición de las flechas, empezaron a imaginarse que habían ofendido a algún dios al establecerse en aquella parte de la selva sin haberle ofrecido ninguna ceremonia propiciatoria. Desde aquel día empezaron a presentar ofrendas diarias de comida al pie del árbol por donde habían desaparecido las flechas, con el ánimo de aplacar al iracundo dios.

Pero la semilla del miedo estaba ya muy arraigada. Sin saberlo, Tarzán había abierto el camino a una sucesión de acontecimientos desgraciados, para él y para su tribu.

Aquella noche durmió en la selva, no lejos del poblado, y al día siguiente, temprano, se puso lentamente en camino hacia los suyos. Estaba hambriento solamente encontró unas cuantas fresas salvajes y algunos gusanos. Al subirse a un tronco caído, bajo el cual había buscado alimento, vio que en medio del sendero, a unos veinte pasos, estaba Sabor, la leona.

Sus grandes ojos amarillentos se fijaban en él con una expresión maligna y fiera, su roja lengua acariciaba el hocico mientras avanzaba cautelosamente encogida, casi rozando el suelo con el vientre.

Tarzán no intentó escapar. Agradecía la oportunidad que se le presentaba y que, de hecho, había estado esperando, ahora que estaba armado con algo más efectivo que su lazo de hierbas.

Rápidamente descolgó el arco de la espalda, preparó una flecha y en el momento en que Sabor daba el salto, el delgado proyectil voló a su encuentro. Tarzán de los Monos saltó hacia un lado y cuando el enorme felino tocó el suelo, otra mortífera flecha atravesó el costado de Sabor.

Lanzando un impresionante rugido la bestia atacó otra vez pero una flecha le entró por un ojo; esta vez estaba tan cerca del hombre-mono que éste no pudo evitar el pesado cuerpo.

Cuando Tarzán cayó debajo del cuerpo de su enemiga, empezó a clavarle el cuchillo repetidamente. Por un momento ambos permanecieron inmóviles, entonces se dió cuenta de que aquella masa inerte era ya incapaz de atacar a nadie.

Con dificultad se liberó del gran peso, se puso en pie y se quedó mirando a su pieza. Un sentimiento de triunfo recorrió su cuerpo.

Hinchó el pecho, pisó el cuerpo de su poderosa enemiga y, echando hacia atrás su hermosa cabeza, lanzó el terrible grito de desafío de los grandes monos.

El aire de la selva transportó el eco del grito triunfal a gran distancia. Los pájaros callaron y los grandes depredadores se escabulleron silenciosamente. No son muchos los animales de la jungla que desean enfrentarse a los grandes antropoides.

En Londres, otro Lord Greystoke dirigía la palabra a *su* especie en la Cámara de los Lores, pero nadie temblaba al oír su voz suave y bien modulada.

La carne de Sabor no era agradable ni siquiera para Tarzán de los Monos, pero el hambre es un buen condimento para la carne más dura y áspera. Después de haber comido abundantemente, al hombre-mono le entró el sueño. Pero primero quería desollar a Sabor y guardar la piel. Esa era la razón principal por la que había deseado cazar a la leona.

Hizo el trabajo con bastante destreza, gracias a la práctica adquirida con animales más pequeños. Al acabar la tarea, subió con su trofeo a un árbol y, acurrucándose entre dos ramas, se quedó profundamente dormido.

Debido a la falta de sueño, al duro ejercicio y a su estómago lleno, durmió todo el resto del día y toda la noche, despertándose hambriento cerca del mediodía del día siguiente. Se acordó del cuerpo de Sabor, pero se llevó la desagradable sorpresa de descubrir que otros habitantes de la selva habían dejado los huesos limpios.

Se puso en marcha sosegadamente hasta que a la media hora vió la figura de un joven gamo entre la maleza. Antes de que el animal se enterara de la presencia del enemigo, una certera flecha se clavó en su cuello.

Tan activo era el veneno que el pobre animal no tuvo tiempo de dar ni media docena de pasos antes de caer muerto. Tarzán volvió a comer bien, pero esta vez no durmió.

Apresuró la marcha en dirección a la zona en que había dejado a su tribu. Al encontrarla se aproximó exhibiendo orgullosamente la piel de Sabor, la leona.

"¡Mirad!", gritó. "Monos de Kerchak. Tarzán, el gran cazador, ha triunfado ¿Hay alguien aquí que haya matado a algún pariente de Numa? Tarzán es superior a vosotros porque Tarzán no es un mono, Tarzán es..." Al llegar ahí se paró, porque la lengua de los antropoides no tiene ninguna palabra para *hombre*, y Tarzán podía escribirla en inglés, pero no sabía pronunciarla.

La tribu se reunió a su alrededor para ver la prueba de su hazaña y escuchar lo que decía.

Solamente Kerchak se quedó atrás, rumiando su odio y su rabia.

De pronto algo estalló en el primitivo y maligno cerebro del antropoide. Con un rugido terrible se arrojó contra la reunión.

Mordiendo y golpeando con sus enormes manos, hirió y mató a más de una docena de ellos antes de que el resto lograra escapar hacia las ramas más altas de los árboles.

Chillando con insana furia, Kerchak buscó al objeto de su odio, fué entonces cuando vió a Tarzán sentado en una rama baja de un árbol cercano.

"¡Baja, Tarzán, gran cazador", chilló Kerchak. "Baja y sentiras los colmillos de alguien más grande! ¿O es que el gran luchador huye tan pronto como huele el peligro?" Y entonces Kerchak lanzó el terrible grito de desafío de los machos de su especie.

Agilmente, Tarzán se dejó caer al suelo. La tribu conteniendo la respiración contemplaba el espectáculo desde sus elevados refugios Kerchak, con un rugido, se abalanzó sobre la relativamente insignificante figura del hombre-mono.

En posición erecta, Kerchak medía cerca de dos metros diez centímetros. De sus enormes hombros resaltaban los poderosísimos músculos. Su corto cuello parecía un haz de tendones de acero que se abultaban en la espalda y se prolongaban hasta la base del cráneo haciendo que la cabeza pareciera una bola semienterrada en una montaña de carne.

Su boca abierta en una terrible mueca dejaba ver los grandes y afilados colmillos, y en sus malignos y pequeños ojos, inyectados en sangre, se veía un brillo de locura maníaca.

Tarzán lo esperaba; también era un animal poderoso, pero su metro ochenta de estatura y sus flexibles músculos no parecían adecuados a la tarea que les aguardaba.

El arco y las flechas estaban a cierta distancia, en el mismo lugar en que los había dejado cuando estaba mostrando la piel de Sabor a sus compañeros monos. Disponía tan sólo del cuchillo de caza y de su inteligencia superior para oponerse a la impresionante fuerza de Kerchak.

Cuando su antagonista cargó rugiendo sobre él, Lord Greystoke desenvainó el largo cuchillo y con un rugido de desafío tan horrible y escalofriante como el de la bestia se preparó para recibir al atacante. Era demasiado astuto para dejarse abrazar por aquellos largos y peludos brazos y antes de producirse el choque de los dos combatientes, Tarzán de los Monos agarró una de las muñecas de su atacante. Saltando ágilmente hacia un lado, hundió el cuchillo profundamente en el pecho de Kerchak, justo debajo del corazón.

Antes de poder arrancar el cuchillo, la fuerza de la embestida del gran macho hizo que Tarzán perdiera el arma.

Kerchak lanzó un golpe a la cabeza del hombre-mono

con la mano abierta; un golpe que de haber acertado habría aplastado el cráneo de Tarzán.

El hombre reaccionó con la rapidez de un rayo y agachándose descargó un terrible puñetazo en el estómago de Kerchak.

El simio trastablilló y al estar mortalmente herido en el costado poco le faltó para caer, pero con un esfuerzo supremo cogió fuerzas durante un breve instante —el tiempo suficiente para librar su brazo de la presa de Tarzán y cerrar a éste en un terrible abrazo.

Apretando al hombre-mono contra su pecho, buscó con sus dientes la garganta de Tarzán, pero los dedos de acero del joven Lord se cerraron sobre la garganta de Kerchak antes de que los dientes se hundieran en su bronceada piel.

Así forcejearon, el uno tratando de acabar con la vida de un enemigo a dentelladas, y el otro evitando colmillos y presionando para estrangular con sus manos al enorme mono.

La increíble fuerza del primate iba ganando terreno y sus colmillos se hallaban escasamente a dos centímetros de la garganta de Tarzán cuando, con un estremecimiento, el gran cuerpo se quedó rígido un instante y cayó inerte al suelo.

Kerchak estaba muerto.

Recogiendo el cuchillo que tantas veces le había permitido dominar a enemigos más poderosos que él, Tarzán pisó la cabeza de su vencido enemigo y, por segunda vez en el mismo día, el fiero grito de victoria recorrió la selva. El joven lord Greystoke se había convertido en el rey de los monos.

12. EL ENTENDIMIENTO HUMANO

En la tribu de Tarzán había uno que ponía objeciones a su autoridad, era Terkoz, el hijo de Tublat, pero temía tanto al afilado cuchillo y a las mortales flechas de su nuevo jefe que reducía sus muestras de desagrado a pequeñas desobediencias y a irritantes muestras de sumisión. Tarzán sabía que estaba buscando la forma de arrebatarle el mando con alguna traición, por eso procuraba estar siempre alerta.

Durante meses, el pequeño grupo siguió haciendo su vida normal, con la diferencia de que la mayor inteligencia de Tarzán y su habilidad como cazador proporcionaba mayor abundancia y variedad de alimento que antes. Por esta razón, la mayoría estaba contenta con el cambio de jefe.

Tarzán los llevaba por la noche a los sembrados de los negros y allí advertidos por la sabiduría del nuevo jefe, cogían tan sólo lo que necesitaban, sin destruír lo que no podían comer, como hacía Manú, el mico, y la mayoría de los otros primates.

De esta manera, aunque los negros estaban molestos por el contínuo saqueo de sus campos, seguían cultivando la tierra sin desanimarse, cosa que habría sucedido si la tribu desbastaba los sembrados.

Durante esta época, Tarzán hizo muchas visitas nocturnas al poblado para reponer su provisión de flechas. Pronto se dio cuenta de que siempre había comida al pie del árbol que utilizaba para entrar en la empalizada, y al cabo de un tiempo empezó a comer lo que los negros dejaban allí.

Cuando los atemorizados indígenas vieron que la comida desaparecía su miedo y abatimiento aumentaron, porque una cosa era ofrecer comida para aplacar al dios, y otra muy distinta, que el espíritu bajara al poblado a comerla. Eso no había sucedido nunca, y su mentalidad supersticiosa empezó a imaginar todo tipo de terrores.

Pero esto no era todo. La periódica desaparición de sus flechas y los extraños saqueos de sus campos realizados por manos invisibles empezaban a convertir su vida en una verdadera pesadilla. Mbonga y sus principales se plantearon la posibilidad de abandonar el poblado y buscar un nuevo asentamiento en otro lugar de la selva. Los guerreros negros comenzaron a aventurarse más y más en el interior de la selva en sus expediciones de caza, buscando nuevos asentamientos.

La tribu de Tarzán empezó a ser molestada más a menudo por aquellas expediciones de cazadores . Ya no había ni animal ni bestia que se sintiera a salvo. ¡Había llegado el hombre!

Muchas fieras salvajes y sanguinarias recorrían día y noche, la selva de un lado a otro pero sus vecinos más débiles rehuían su encuentro y volvían al mismo sitio cuando había pasado el peligro.

Con el hombre es distinto. Cuando aparece, los grandes animales instintivamente abandonan el distrito para no volver. Eso ha sucedido siempre con los grandes antropoides. Huyen del hombre como el hombre huye de la peste.

Durante un tiempo la tribu de Tarzán merodeó por las cercanías de la playa porque a su nuevo jefe no le agradaba la idea de abandonar para siempre los preciados tesoros ocultos en la pequeña cabaña. Pero cuando un día un miembro de la tribu llegó con la noticia de que había descubierto un gran número de negros en las orillas de un riachuelo que había sido su bebedero durante generaciones, desbrozando la selva y construyendo muchas cabañas, los monos no quisieron permanecer más en aquel lugar; entonces Tarzán marchó con ellos tierra adentro durante muchas jornadas a un lugar que todavía no había sido hollado por el ser humano.

Todas las lunas, Tarzán viajaba rápidamente a través de la selva para pasar un par de días con sus libros, y a la vez reponer su provisión de flechas, cuestión que se hacía más difícil porque los negros, ahora, acostumbraban a guardar las flechas en los graneros y en las chozas. Esto obligaba a Tarzán a espiar durante horas para averiguar dónde las tenían escondidas.

En un par de ocasiones para robar las flechas había entrado en las chozas mientras dormían sus habitantes. Pero comprendió que ese método encerraba demasiados peligros y decidió que era más seguro atacar a cazadores solitarios o rezagados. Los atrapaba con el mortal lazo y, después de despojarlos de sus armas y ornamentos, lanzaba los cadáveres desde un árbol al interior del poblado.

Estos ataques volvieron a atemorizar a los negros, y si no abandonaron su nuevo poblado era porque las agresiones tenían lugar de mes en mes, y en ese tiempo se renovaban sus esperanzas de que cada nueva incursión había sido, quizás la última. Los negros no habían descubierto la cabaña de Tarzán en la lejana playa, pero el hombre-mono vivía con el continuo temor de que la encontraran y destruyeran su tesoro. Debido a eso, cada vez pasaba más tiempo en los alrededores del último hogar de su padre, y menos con la tribu. Los miembros de su pequeña comunidad empezaron a sentir los efectos del abandono, suscitándose entre ellos contínuas disputas y peleas que solamente el rey podía arreglar pacíficamente.

Por fin un día, los monos más viejos hablaron del tema con Tarzán y éste permaneció con la tribu durante un mes.

Las obligaciones del mando entre los monos no son ni muchas ni complicadas. Probablemente esta tarde vendrá Thaka a quejarse de que Mungo le robó su nueva esposa. Entonces Tarzán reunirá a todos y si ve que la esposa prefiere al nuevo compañero, ordenará dejar las cosas como están, o quizás ordene que Mungo dé a cambio una de sus hijas a Thaka. Cualquiera de las decisiones será aceptada por los monos y volverán satisfechos a sus ocupaciones.

Después aparece Tana chillando y tapándose con la mano un costado del que mana sangre. Su compañero Gunto la ha mordido salvajemente. Llama a Gunto, y éste dice que Tana es perezosa y que no le trae comida ni le rasca la espalda.

Tarzán les regaña a los dos y amenaza a Gunto diciéndole que si vuelve a abusar de Tana probará sus mortales varillas, y hace prometer a Tana que atenderá mejor sus obligaciones domésticas.

Son pequeñas discusiones familiares que si se dejaran sin arreglar acabarían en disputas más generalizadas y se vería amenazada la integridad de la tribu.

Tarzán se cansó pronto de ser rey, pues el mando le coartaba su libertad. Echaba de menos su pequeña cabaña de la playa; el fresco interior de la casita y las inacabables maravillas que iba descubriendo en los libros.

Al pasar el tiempo, notó que se iba distanciando de los suyos. Sus intereses eran muy distintos. Ellos se habían quedado muy atrás y no podían comprender los extraños y maravillosos sueños que poblaban la mente de su rey humano. Su lenguaje era tan limitado, que Tarzán ni siquiera podía hablar con ellos de todo aquello que aprendía en los libros, ni de sus ambiciones.

En la tribu ya no tenía amigos. Un niño puede encontrarse a gusto en compañía de cualquier criatura sencilla, pero un adulto necesita un intelecto similar como base para una relación auténtica.

Si Kala viviera, Tarzán hubiera sacrificado todo por permanecer a su lado, pero había muerto, y los juguetones compañeros de su infancia se habían convertido en adultos brutales y desabridos. Prefería la paz y la soledad de su cabaña a las obligaciones del mando entre aquella horda de bestias salvajes.

El odio y los celos de Terkoz, hijo de Tublat, fueron la causa de que Tarzán reprimiera sus deseos de renunciar al trono de los monos, porque terco como era, no podía retroceder ante un enemigo de la calaña de Terkoz. Sabía perfectamente que éste sería elegido jefe, porque aquella bestia feroz no perdía ocasión de demostrar su supremacía física sobre los pocos machos que se atrevían a hacer frente a sus salvajes acometidas.

A Tarzán le hubiera gustado someter a aquella horrible bestia sin tener que recurrir al cuchillo o a las flechas.

La fuerza y agilidad de Tarzán se habían desarrollado tanto después de su pubertad, que estaba convencido de que, si no fuera por la ventaja de los colmillos, podía luchar cuerpo a cuerpo con el temible antropoide y vencerlo.

Las circunstancias precipitaron el curso de los acontecimientos. Todo sucedió de forma que Tarzán pudo elegir entre quedarse o marchar sin menoscabo de su representación. Sucedió de la forma siguiente:

La tribu estaba tranquilamente buscando alimento desperdigada por la zona, cuando se oyó un grito a cierta distancia del lugar donde Tarzán, tumbado sobre una rama intentaba pescar.

Sin pensarlo dos veces, la tribu se dirigió hacia el sitio donde se oían los aterrorizados gritos y allí vieron a Terkoz que golpeaba sin piedad a una vieja hembra.

Tarzán se acercó levantando una mano para que Terkoz parara, porque la hembra no era suya, sino que pertenecía a un macho viejo que ya no tenía fuerzas para luchar y que, por lo tanto, no podía proteger a su familia.

Terkoz sabía que el maltratar a una hembra de otro iba contra las reglas de la tribu, pero como era un pendenciero, se aprovechaba de la debilidad del viejo macho para pegar a la mona porque ésta no le había querido dar un pequeño roedor que acababa de cazar.

Terkoz vio que Tarzán venía sin las flechas y siguió pegándo a la pobre hembra con la intención de provocar a su odiado jefe. Tarzán no esperó más, y sin repetir su señal de amonestación arremetió contra Terkoz.

El hombre-mono no recordaba una pelea tan terrible desde el día en que Bolgani, el gran gorila, lo había casi destrozado, salvándose tan sólo gracias a que casualmente hundiera en el corazón de la feroz bestia el cuchillo que acababa de encontrar.

En esta ocasión, el cuchillo compensaba poco contra los grandes colmillos de Terkoz, aunque a la superior fuerza física del mono oponía Tarzán su mayor agilidad y rapidez.

De todas formas, el antropoide llevaba las de ganar, y

de no ser por una característica peculiar el joven Lord Greystoke, hubiera muerto como había vivido: como una anónima fiera salvaje de Africa ecuatorial.

Pero la particularidad que lo hacía superior a sus compañeros de la selva era aquella lucecita que marca la gran diferencia entre el hombre y el animal: el entendimiento. Eso fué lo que lo salvó de morir bajo los músculos de acero y los afilados colmillos de Terkoz.

Se revolcaban por el suelo, destrozándose con golpes desgarradores; era una lucha a muerte entre dos fieras salvajes. Terkoz tenía varias cuchilladas en la cabeza y en el pecho, y Tarzán estaba con el cuerpo desgarrado, cubierto de sangre y gran parte del cuero cabelludo le colgaba por delante de la cara tapándo un ojo. Pero hasta el momento había conseguido evitar que aquellos temibles colmillos se clavaran en su yugular; por un momento la pelea cedió en intensidad, ambos trataban de recuperar fuerzas. A Tarzán se le ocurrió un plan, colgarse con uñas y dientes de la espalda de su oponente y desde allí acuchillarlo hasta acabar con él.

Consiguió su objetivo con increíble facilidad, porque al ignorar lo que Tarzán intentaba, la torpe bestia no hizo ningún esfuerzo por evitar la treta.

Pero cuando notó que su enemigo se había colgado de él en un sitio en que sus colmillos y brazos resultaban inútiles, Terkoz se dejó caer de espaldas con tanta violencia que el hombre-mono no pudo hacer otra cosa que agarrarse desesperadamente a aquel cuerpo que se debatía violentamente, y, antes de poder darle la cuchillada, el arma cayó de su mano: estaba desarmado.

Durante la lucha se soltaron y engancharon varias veces, y en una de éstas por casualidad, Tarzán consiguió con la mano derecha una presa totalmente inquebrantable. Su brazo se introdujo desde atrás por debajo del brazo de Terkoz y apoyó la mano en la nuca del mono. Era lo que en la lucha moderna se conoce con el nombre de media Nelson y que el hombre-mono desconocía, pero comprendió enseguida que le podía ser de gran utilidad para salvar la vida.

Forcejeó como pudo hasta conseguir una presa similar con el brazo izquierdo, y en cuestión de segundos el cuello de Terkoz crujía bajo la presión de una doble Nelson.

Cesaron los forcejeos. Ambos permanecían totalmente inmóviles sobre el suelo, Tarzán montado sobre la espalda de Terkoz. Lentamente, la cabeza del simio era obligada a doblarse más y más sobre su pecho.

Tarzán intuía cual sería el resultado final: en un instante el cuello se partiría. Pero algo vino en ayuda de Terkoz, fué esa misma luz por culpa de la cual se encontraba dominado en aquella dolorosa situación; la capacidad de entendimiento del hombre, la "razón".

"Si lo mató", pensó Tarzán, "su muerte no me beneficiará en nada, y la tribu perderá un gran luchador. Además, estando muerto, Terkoz no se enterará de mi superioridad, en tanto que si vive servirá de ejemplo para los otros monos".

"¿Ka-goda?", susurró Tarzán al oído de Terkoz, que en el lenguaje de los monos quiere decir, traducido literalmente: "¿Te rindes?"

Durante un momento no hubo respuesta, y Tarzán aumentó la presión de sus brazos haciendo salir de la garganta de la gran bestia un terrible grito de dolor.

"¿Ka-goda?", volvió a repetir Tarzán.

"¡Ka-goda!" chilló Terkoz.

"Atiende", dijo Tarzán aflojando un poco la presión pero sin soltar la presa. "Yo soy Tarzán, rey de los grandes monos, poderoso cazador, poderoso luchador. Nadie hay, en toda la selva, más poderoso que yo.

"Has dicho *Ka-goda* ante mí. Toda la tribu lo oyó. No vuelvas a pelear ni con tu rey ni con tu pueblo, porque la próxima vez te mataré. ¿Entendido?"

"Huh", asintió Terkoz.

"¿Aceptas las condiciones?"

"Huh," dijo el mono.

Tarzán lo soltó y dejó que se levantara. Pocos minutos después, todos habían vuelto a las ocupaciones habituales como si nada hubiera interrumpido su monótona existencia.

Pero en los primitivos cerebros de los monos había

quedado grabada la convicción de que Tarzán era un poderoso luchador y una criatura extraña. Extraña, porque habiendo estado en sus manos la vida de su enemigo, le había dejado vivir.

Aquella tarde, cuando la tribu estuvo reunida, como era lo normal, antes de anochecer, Tarzán, que ya había lavado sus heridas en el río, llamó a los machos adultos.

"He demostrado nuevamente que Tarzán de los Monos es el más fuerte de todos", dijo.

"Huh", contestaron con una sola voz, "Tarzán es grande".

"Tarzán", siguió diciendo, "no es un mono, él no es como su pueblo. Su destino es distinto, por eso Tarzán vuelve al cubil de su propia especie, al lado del gran lago de una sola orilla. Hay que elegir otro jefe, porque Tarzán no volverá".

Con esto, el joven Lord Greystoke dio el primer paso hacia la meta que se había fijado: encontrar otros hombres blancos iguales a él.

13. SU PROPIA ESPECIE

A la mañana siguiente, Tarzán, renqueando y con el cuerpo dolorido por las heridas de la pelea, se puso en camino hacia el oeste en dirección a la playa.

Viajaba muy lentamente, por la noche durmió en la selva y llegó a la cabaña a la mañana del segundo día.

Durante varios días se movió muy poco, escasamente lo suficiente para coger unos cuantos frutos y nueces con que satisfacer el hambre.

A los diez días se encontraba casi restablecido, con excepción de una terrible herida a medio cicatrizar que partía de la ceja izquierda le cruzaba la frente y acababa al lado de la oreja derecha. Era la señal que le había dejado Terkoz cuando le arrancó parte del cuero cabelludo.

Durante su convalecencia, Tarzán trató de hacer un vestido con la piel de Sabor que había dejado en la cabaña. Pero al desconocer la técnica del curtido, la piel se había puesto dura como una tabla y se vio obligado a desistir.

Entonces decidió utilizar algunas prendas de las que usaban los guerreros negros del poblado de Mbonga, porque Tarzán de los Monos había decidido diferenciarse al máximo de los animales inferiores y le parecía que la mejor forma de conseguirlo era llevando ropas y adornos que denotaran su condición humana.

Con este fin reunió los brazaletes, tobilleras y adornos que había quitado a los guerreros negros, muertos bajo su silencioso lazo, y se los puso según había visto que los llevaban.

Del cuello se colgó la cadena de la que pendía el medallón de oro y diamantes de su madre, Lady Alice y a la espalda se puso el carcaj de flechas, botín arrancado a uno de los negros.

En torno a la cintura se ató un cinto hecho con tiras de cuero trenzadas, del que pendía la funda que hizo para el cuchillo de su padre y en bandolera, sobre el hombro izquierdo, se puso el arco que arrebatara a Kulonga.

El joven Lord Greystoke tenía ahora una extraña apariencia de guerrero primitivo. Su larga melena hasta los hombros la había recortado toscamente con el cuchillo, por delante, para evitar que al caer le tapara los ojos, impidiendo la visión.

Su alta y perfecta figura tenía la misma musculosa apariencia de un gladiador romano y la gracia de un dios griego. A simple vista se percibían su elasticidad, ligereza y descomunal fuerza. Tarzán de los Monos era la personificación del hombre primitivo, del cazador y del guerrero.

Su noble cabeza y el brillo vital e inteligente de sus ojos claros, imprimían a todo su aspecto la apariencia guerrera y primitiva de una raza antigua de semidioses de aquella selva virgen.

Pero Tarzán no pensaba en nada de aquello. Estaba preocupado porque a parte de carecer de ropa que indicara que era un hombre y no un mono, por momentos tenía la impresión de que se iba a convertir en simio: le estaba empezando a crecer el pelo en la cara, igual que a los otros monos, en tanto que los hombres negros carecían de él.

Había visto en las ilustraciones de sus libros hombres que tenían gran cantidad de pelo en la cara y en el labio superior, pero aquello no anulaba sus temores. Casi todos los días rascaba su cara con el afilado cuchillo para eliminar la infamante característica de los simios. De aquella efectiva forma, aunque tosca y dolorosa, Tarzán aprendió a afeitarse.

Cuando ya se sintió totalmente recuperado de su brutal pelea con Terkoz una mañana se dirigió hacia el poblado de Mbonga. Avanzaba despreocupadamente por un sendero, en vez de ir por los árboles como era su costumbre, cuando se encontró frente a un guerrero negro.

La expresión de sorpresa de la cara del indígena era patética, antes de que Tarzán tuviera tiempo de descolgar su arco el negro dió la vuelta y echó a correr por el sendero dando gritos de alarma como si quisiera avisar a alguien.

Tarzán lo persiguió por los árboles y en poco tiempo divisó a los hombres que desesperadamente trataban de escapar. Eran tres, y corrían aterrorizados entre la espesura.

Tarzán tomó enseguida la delantera, sin que los guerreros vieran la silenciosa figura que se movía sobre sus cabezas ni notaran que alguien los acechaba.

Dejó pasar a los dos primeros, pero cuando se acercó el tercero, el lazo fatal se ciñó sobre el cuello del negro.

La víctima dio un grito de agonía y al mirar para atrás sus compañeros vieron el cuerpo elevarse pataleando y forcejeando, como por arte de magia, hasta desaparecer entre el espeso follaje de los árboles. Dando gritos de terror, los otros dos echaron a correr con renovados esfuerzos.

Tarzán acabó con su víctima rápida y silenciosamente; despojó el cuerpo de sus armas y adornos y de algo que le llenó de alegría; un taparrabos de piel de antílope que inmediatamente ciñó alrededor de su cintura.

Ahora ya estaba vestido como un auténtico hombre. Ya nadie podía confundirlo. ¡Cómo le gustaría volver a la tribu para que vieran aquel maravilloso trofeo!

Cargando el cuerpo sobre el hombro, prosiguió su marcha hacia el poblado en busca de flechas.

Cuando se encontraba a poca distancia vió a un agitado grupo que rodeaba a los dos fugitivos quienes agotados por el miedo y el cansancio, casi no podían explicar los extraños detalles de su aventura.

Dijeron que Mirando, así se llamaba la pobre víctima, iba un poco más adelante que ellos, cuando llegó corriendo y diciendo que lo perseguía un terrible guerrero blanco desnudo. Regresaban velozmente hacia la empalizada cuando se oyó el grito aterrorizado de Mirando y al volver la vista atrás vieron un espectáculo horrible. El cuerpo de su compañero subía hacia los árboles pataleando y con la lengua fuera. No volvieron a oír a su compañero ni supieron más de él.

Los habitantes del poblado estaban al borde del pánico, pero el anciano y prudente Mbonga lo negó creyendo que la causa de haber inventado aquella historia se debía a que habían huido como cobardes ante algún peligro real.

"Decís todo esto", dijo, "porque no os atrevéis a contar la verdad. No confesáis que cuando el león saltó sobre Mirando, vosotros echasteis a correr dejándolo solo. Sois unos cobardes".

Aún no había acabado de hablar cuando un gran crujido de las ramas les hizo mirar en aquella dirección. Lo que vieron sus ojos, produjo un estremecimiento incluso al prudente Mbonga, pues dando vueltas en el aire apareció el cuerpo muerto de Mirando y fue a caer en medio de la reunión con un golpe seco y macabro.

De común acuerdo, todos los negros echaron a correr despavoridos perdiéndose en la jungla.

Tarzán entró en el poblado. Se aprovisionó de flechas y devoró con buen apetito la comida que los negros habían dejado como ofrenda para aplacar su cólera. Antes de marchar, cogió el cuerpo de Mirando y lo colgó en la empalizada, mirando hacia el sendero que conducía a la selva.

Después de varios intentos, los negros se armaron de valor, y fueron retornando al poblado, evitándo mirar a la cara de su compañero muerto que se contraía en una horrible mueca. Al notar la desaparición de la comida y de las flechas comprendieron lo sucedido. Mirando había visto al espíritu del Mal.

¡Aquello explicaba muchas cosas! Solamente morían los que veían al sanguinario demonio de la selva; ninguno de los vivos lo habían visto nunca. Eso significaba que los que morían a sus manos es que lo habían visto y pagaban con la vida su pecado.

Si ofrecían flechas y comida no les haría daño, a menos que lo vieran; por eso Mbonga ordenó que además de las ofrendas de comida debían hacer una ofrenda de flechas al Munango-Keewati, y así lo hicieron desde aquel día.

Si tiene el lector la oportunidad de visitar ese lejano poblado africano, aún podrá ver que en una cabaña, fuera de la empalizada, hay una cacerola con cierta cantidad de comida y un carcaj siempre lleno de flechas recién embadurnadas de veneno.

Más tarde, cuando Tarzán llegó a la playa donde estaba la cabaña, pudo contemplar un espectáculo extraño e insólito: sobre las plácidas aguas de la ensenada flotaba un gran barco y en la orilla de la playa había una barca varada.

Pero lo más extraordinario era que una serie de hombres blancos deambulaban entre la orilla y su cabaña. Tarzán vió que eran semejantes a los que había visto en los libros ilustrados. Y se fue acercándo por los árboles hasta estar casi encima de ellos.

Había diez hombres, tostados por el sol y de aspecto canallesco. Estaban congregados al lado de la barca y hablaban a gritos, en tono agresivo, gesticulando mucho y blandiendo los puños.

En ese momento, un individuo de pequeña estatura, expresión maligna y barba raída, que a Tarzán le recordaba a Pamba, la rata puso la mano sobre el hombro de otro individuo gigantesco, con el que los demás habían estado discutiendo.

El hombre pequeño señaló tierra adentro y el gigante dejó de observar a los otros y miró en aquella dirección. Según se estaba volviendo, el hombre pequeño, de expresión maligna, empuñó un revolver que llevaba al cinto y disparó al gigante por la espalda.

El tipo corpulento se llevó las manos a la cabeza, se le doblaron las rodillas y sin un gemido cayó de bruces sobre la arena de la playa, muerto.

El disparo del arma, el primero que Tarzán había oído lo dejó perplejo, pero lo desacostumbrado del sonido no conmovió sus bien templados nervios.

Lo que más le sorprendió fue el comportamiento de los extranjeros blancos. Frunció el entrecejo meditando. Había sido una suerte, pensó, no haber dado rienda suelta a su primer impulso de ir corriendo a su encuentro para saludarlos como hermanos.

Evidentemente no eran mejores que los guerreros negros, ni más civilizados que los monos, ni menos crueles que Sabor.

Durante un momento, los otros se quedaron mirando al hombrecillo de expresión maligna y al gigante que yacía muerto sobre la playa.

Entonces uno se echó a reir y dió una palmada en la espalda del hombrecillo. Siguieron hablando y gesticulando, pero sin violencia.

A continuación empujaron el bote hasta el agua, subieron a él y remaron en dirección al barco, en el que había más gente sobre la cubierta.

Cuando los vió subir al barco, Tarzán saltó al suelo, detrás de un gran árbol, y se deslizó hasta la cabaña, procurando no dejarse ver por los del barco.

Al entrar vió que lo habían desordenado todo. Sus libros y lápices tirados por el suelo, sus armas y escudos y otras cosas menores estaban esparcidos por todas partes.

Al ver lo que habían hecho una ola de rabia recorrió su cuerpo y la reciente cicatriz de la frente se inflamó formando una línea roja sobre su morena piel.

Rápidamente se dirigió hacia la estantería. ¡Ah! Respiró aliviado al ver que la cajita metálica seguía allí y que no habían tocado su tesoro más preciado. La fotografía del enérgico y sonriente jóven, y su libro negro estaban a salvo.

¿Qué pasaba? Su finísimo oído percibió un sonido débil y desconocido.

Tarzán corrió hacia la ventana y miró en dirección al mar, estaban arriando un bote del barco, al lado del otro que ya estaba en el agua. Entonces vió que subía mucha gente al bote. Volvían con todas sus fuerzas.

Tarzán siguió mirando un rato más, mientras cargaban en los botes una serie de baúles y bultos. Al advertir que los botes se separaban del costado del barco, el hombre-mono tomó una hoja de papel y lápiz y escribió varias líneas con trazos seguros y casi perfectos.

Colocó la nota en la puerta de la cabaña sujetándola con una pequeña astilla a la madera. Después, cogiendo su preciada caja metálica, las flechas y tantos arcos y flechas como pudo salió de la cabaña y desapareció entre la maleza.

Cuando los dos botes atracaron en la suave arena de la playa, descendió un grupo de características diversas.

Se trataba de unas veinte personas, quince de ellas eran marineros rudos y de aspecto siniestro. El resto del grupo tenía un aspecto muy diferente.

Uno era un hombre ya entrado en años con gafas y pelo blanco. De sus estrechos hombros casi colgaba una desgarbada, aunque inmaculada levita. El reluciente sombero de copa hacía aún más incongruente su vestimenta en aquella selva africana.

El segundo en desembarcar era un joven alto con pantalones de paño blanco, directamente detrás de él iba otro hombre también mayor de frente muy despejada y terriblemente excitado.

A continuación saltó una negra gordísima con un atuendo de alegres colores. En sus grandes ojos se evidenciaba el terror que sentía, hacia la selva y hacia aquella banda de renegados marineros que descargaban los fardos y baúles de los botes.

El último miembro en desembarcar era una joven de unos diecinueve años, el hombre joven la cogió en brazos para dejarla en tierra firme sin que se mojara. Ella le sonrió agradecida, pero no se dijeron nada.

El grupo se dirigió a la cabaña en silencio. Era evidente que ya habían decidido lo que harían antes de desembarcar; llegaron a la puerta, los marineros iban delante llevando los bultos. Los hombres dejaron su carga y uno de ellos vió la nota de Tarzán.

"¡Eh, vosotros," dijo. "¿Qué es ésto? ¡Que me lleven los infiernos si esta nota estaba aquí hace una hora!"

Los otros se apelotonaron estirando el cuello por encima de los hombros de los que estaban delante, tratando de ver algo, pero como la mayoría no sabía leer, después de esforzarse un rato uno de ellos se volvió hacia el hombrecillo del sombrero de copa y levita.

"¡Eh, profesor!", dijo. "Venga aquí, quiero que lea esta maldita nota!"

El anciano se acercó lentamente a donde estaban los marineros, seguido de uno de los miembros de su grupo. Ajustándose las gafas miró un momento el aviso y dando la vuelta se alejó murmurando para sus adentros: "¡Es extraordinario, realmente extraordinario!"

"¡Eh, viejo fósil", gritó el hombre que lo había llamado antes. "¿Crees que te llamé para que leyeras la maldita nota para ti solo? ¡Vuelve aquí y leela en voz alta, cuatro ojos!"

El anciano se paró y dando la vuelta dijo: "¡Oh, tiene razón, mi estimado señor! ¡Le pido mil perdones! ¡Qué grosería la mía! ¡Es extraordinario, realmente extraordinario!"

Se volvió a poner delante de la nota y la leyó, y es posible que, de no agarrarlo el marinero por el cuello se hubiera marchado igual que la vez anterior.

"¡Leela en alto, viejo imbécil!", gritó.

"¡Ah, sí, claro! ¡Claro!", replicó el profesor tranquilamente y volviéndo a ajustarse las gafas, leyó en voz alta:

Esta es la casa de Tarzán, matador de fieras y de muchos guerreros negros. No dañar las cosas de Tarzán. Tarzán vigila.
Tarzán de los Monos.

"¿Quién diablos es Tarzán?" rugió el marinero que había hablado antes.

"Lo que es evidente, es que habla inglés", dijo el hombre joven.

"Pero ¿qué significa Tarzán de los Monos?", preguntó la joven.

"No lo sé, Miss Porter", contestó el joven, "a menos que se trate de un mono escapado del zoológico de Londres y esté practicando su educación inglesa en esta selva. ¿Qué le parece a usted todo esto, Profesor Porter?", añadió dirigiéndose al anciano.

El Profesor Arquímedes Q. Porter se ajustó las gafas.

"¿Esto? ¡Ah, sí, claro! ¡Es extraordinario, realmente extraordinario", dijo el Profesor; "pero no me encuentro en situación de poder añadir nada que aclare lo que acabo de decir aunque considero el hecho como de gran trascendencia", y el Profesor echó a andar lentamente en dirección a la selva.

"Pero, papá", dijo la joven, acalorada, "¡si no has dicho nada!"

"Calma, hija, calma", le respondió el Profesor Porter en tono cariñoso. "No calientes tu linda cabecita con problemas tan complejos y enigmáticos", y lentamente reemprendió su paseo con la vista fija en el suelo y las manos cogidas a la espalda por debajo de los faldones de su levita.

"Me parece que ese botarate sabe de esto tanto como nosotros", dijo el marinero con cara de rata.

"Cuidado con lo que dice", gritó el hombre joven, empalideciendo de ira ante el tono insultante empleado por el marinero. "Han matado a la oficialidad del barco y saqueado nuestros equipajes. Estamos en sus manos, pero o trata al Profesor y a Miss Porter con el debido respeto, o soy capaz de partirle el cuello con mis propias manos, sin necesidad de armas", y el joven se acercó tanto al marinero de cara de rata que aún teniendo éste dos pesados revólveres y un enorme cuchillo al cinto, retrocedió asustado.

"¡Maldito cobarde!", dijo el joven. "Solamente se atreve a matar por la espalda. Conmigo no se atrevería ni aún así", y dió la espalda al marinero echando a andar despreocupadamente para demostrárselo.

La mano del marinero se cerró sobre la empuñadura de uno de sus revólveres; sus malvados ojos despedían llamaradas de rencor contra el joven. Sus compañeros lo miraban, pero él dudaba. En el fondo era todavía más cobarde de lo que Mr. William Cecil Clayton se había imaginado.

Dos agudos ojos observaban toda la escena entre el follaje de un árbol cercano. Tarzán había notado la sorpresa causada por su aviso, y aunque no comprendía la lengua que hablaba aquella gente extraña, sus gestos y expresiones le decían bastante.

La acción del marinero con cara de rata, al matar a su compañero por la espalda, le había provocado disgusto y ahora Tarzán, al verlo discutir con aquel elegante joven, su desagrado aumentó.

Tarzán desconocía los efectos de las armas de fuego, aunque había leído en sus libros algo sobre ellas, pero al ver que el de cara de rata empuñaba el revólver, se acordó de la escena que había contemplado no hacía mucho y se dió cuenta de que aquel joven iba a ser asesinado, como lo había sido el fornido marinero horas antes.

Tarzán puso una flecha envenenada en su arco y lo tensó, pero el follaje era demasiado espeso y comprendió que la flecha seria desvíada por las hojas entonces desde su elevado observatorio arrojó una pesada lanza.

Clayton había dado una docena de pasos. El marinero de cara de rata casi había levantado su revólver; los otros marineros miraban la escena sin perder detalle.

El Profesor Porter se había internado en la selva, seguido por un agitado Samuel T. Philander, su secretario y ayudante.

Esmeralda, la negra, estaba ocupada escogiendo el equipaje de su señorita entre las cajas y bultos apilados al lado de la cabaña, y Miss Porter se dirigía hacia Clayton, cuando algo llamó su atención y miró hacia el marinero.

Y entonces tres cosas sucedieron al mismo tiempo. El marinero levantó su arma y apuntó a la espalda de Clayton, Miss Porter dió un grito de advertencia, y una larga y pesada lanza con punta metálica cruzó el aire como un rayo y atravesó de parte a parte el hombro del marinero de cara de rata.

El revolver disparó inofensivamente al aire, y el marinero se encogió dando un grito de dolor y terror.

Clayton volvió corriendo. Los marineros se agruparon asustados, con las armas preparadas y mirando hacia la selva. El hombre herido se revolcaba por el suelo dando gritos de dolor.

Sin que nadie le viera, Clayton recogió el revólver del herido y lo escondió dentro de la camisa, después se puso a mirar, sorprendido, a la maleza.

"¿Quién sería?", le susurró Jane Porter, a su lado, con

los ojos muy abiertos y llenos de sorpresa.

"Parece ser que Tarzán de los Monos no nos pierde de vista", contestó él sin estar muy seguro de lo que decía. "Pero me preguntó a quién iba dirigida la lanza. Si iba contra Snipes, entonces el hombre-mono es nuestro amigo".

"¡Por todos los cielos! ¿Dónde están tu padre y Mr. Philander? En esa selva hay algo o alguién, y ese *quienquiera que sea* está armado. ¡Eh! ¡profesor! ¡Mr. Philander!" gritó Clayton. Nadie respondió.

"No sé que hacer, Miss Porter", dijo el joven, preocupado e indeciso. "No puedo dejarla aquí sola con esos rufianes, y, por otra parte, sería peligroso llevarla conmigo; pero alguien tiene que ir a buscar a su padre. No me extrañaría que anduviera paseando por ahí sin rumbo, ajeno a todo peligro, y Mr. Philander no es menos distraído. Perdone mi rudeza, pero nuestras vidas corren serio peligro en este lugar, y cuando consigamos encontrar a su padre tenemos que hacer algo que lo impresione lo suficiente como para que se de cuenta de que su distracción nos pone a todos en peligro".

"Estoy de acuerdo con usted", replicó la joven. "Mi padre no dudaría ni un instante en dar su vida por mí, suponiendo que fueramos capaces de bajarlo de las nubes para que pensara por un momento en un detalle tan frívolo. La única forma de tenerlo seguro sería encadenarlo a un árbol. El pobre no tiene remedio, es un desastre para las cosas prácticas".

"¡Ya lo tengo!" dijo de pronto Clayton. "¿Sabe utilizar un revólver?"

"Sí ¿Por qué?"

"Tengo uno. Con él, usted y Esmeralda podrán estar relativamente seguras en la cabaña, mientras yo voy en busca de su padre y de Mr Philander. Llame a la mujer, yo voy a ver si los encuentro. No pueden andar muy lejos".

Jane hizo lo que le decían y cuando vio cerrar la puerta de la cabaña, Clayton se acercó a los marineros que aún estaban tratando de quitar la lanza del hombro de su compañero, preguntando si alguno podía prestarle un revólver para ir a buscar al profesor a la selva.

Al ver que seguía vivo, el cara de rata había recobrado su talante y con una sarta de juramentos contra el joven, prohibió a sus compañeros que le prestaran ningún arma de fuego.

Snipes había asumido el papel de jefe, después del asesinato del anterior, y había transcurrido tan poco tiempo que ningúno de sus compañeros había pensado todavía en disputarle el mando.

Por toda respuesta, Clayton se encogió de hombros, pero al marchar cogió la lanza que había traspasado a Snipes, y armado de esta forma primitiva, el hijo del actual Lord Greystoke se encaminó hacia la selva.

De vez en cuando llamaba a gritos a los dos despistados estudiosos. Las dos mujeres oían, desde la cabaña sus gritos cada vez más débilmente, hasta que la voz dejo de oirse apagada por los miles de ruidos de la selva virgen.

Cuando el Profesor Arquímedes Q. Porter y su aydante, Samuel T. Philander, debido a la insistencia de éste último, decidieron volver sobre sus pasos, se encontraron irremediablemente perdidos en aquel laberinto de impenetrable verdor, pero sin ser conscientes del hecho.

Por puro capricho de la fortuna, se dirigieron hacia la costa oeste de Africa en vez de hacia Zanzibar, al otro lado del continente negro.

Al poco tiempo de andar vagando, llegaron a la playa y no vieron señales del campamento. Philander estaba seguro de que se encontraban al norte de su punto de destino, cuando en realidad estaban a unos doscientos metros al sur.

A aquellos dos despistados pensadores no se les pasó por la imaginación la posibilidad de gritar para llamar la atención de sus compañeros. Con toda la seguridad del razonamiento deductivo, basado en unas premisas erróneas, Mr. Samuel T. Philander cogió firmemente del brazo al Profesor Arquímedes Q. Porter y, a pesar de las protestas del anciano, lo llevó casi arrastras en dirección a Ciudad del Cabo, a más de dos mil quinientos kilómetros al sur.

Cuando Jane y Esmeralda se vieron seguras dentro de la cabaña, el pensamiento de la mujer negra fué hacer una barricada detrás de la puerta. Con esta intención se puso a buscar algo que sirviera para tal fin; pero lo primero que vieron sus ojos dentro de la cabaña hizo soltar un grito de terror, y como una niña asustada fué a abrazarse a su señorita.

Alarmada por el grito, Jane conoció la causa. Allí en el suelo delante de ellas, estaba el esqueleto de un hombre. Una segunda mirada descubrió un segundo esqueleto sobre la cama.

"¿Qué horrible lugar es éste?", dijo la joven asustada, pero sin perder la calma.

Desembarazándose del histérico abrazo de la sollozante Esmeralda, Jane cruzó la habitación para mirar en la cuna sabiendo de antemano lo que iba a encontrar, aún antes de descubrir el diminuto esqueleto en toda su patética y conmovedora fragilidad.

Aquellos huesos eran mudos protagonistas de una horrible tragedia. La joven se estremeció al pensar en el incierto futuro que les aguardaba a ella y a sus compañeros en aquella fatídica cabaña, rodeados por seres misteriosos y, posiblemente, hostiles.

Rápidamente, dando una patada en el suelo con su pequeño pie, trató de infundir valor y dirigiéndose a Esmeralda le pidió que dejara de lamentarse.

"Vamos, Esmeralda, cálmate de una vez", dijo. "No pongas las cosas peor de lo que están".

La negra se fué calmando poco a poco, y con voz lastimera recordó a los tres hombres que andaban perdidos por la selva y que eran toda la protección que tenían.

Jane observó que la puerta podía atrancarse por dentro con un pesado travesaño de madera y después de varios intentos, aunando sus fuerzas, las dos mujeres consiguieron ponerlo en su sitio. Por primera vez en veinte años.

Después se sentaron abrazadas en un banco, a esperar.

14. A MERCED DE LA SELVA

Cuando Clayton se internó en la selva, los marineros —amotinados del *Arrow*— se pusieron a discutir lo que harían; pero sobre una cosa estaban de acuerdo, volverían al barco para estar a salvo de los ataques de su invisible enemigo. Y mientras Jane Porter y Esmeralda se fortificaban en la cabaña, aquella cobarde tripulación de rufianes remaba hacia el barco en los botes que los habían llevado a la playa.

Tarzán había visto tantas cosas aquel día que su cabeza estaba hecha un lío. Pero lo que más le había maravillado había sido la cara de la hermosa muchacha blanca.

Ahora estaba realmente seguro de haber encontrado a alguien de su propia especie. El joven y los dos hombres viejos también se parecían bastante a la imagen que se había hecho de su pueblo.

Pero de lo que también estaba seguro es de que eran tan feroces y crueles como los otros hombres que había visto. El hecho de que fueran los únicos del grupo que estaban desarmados, podía muy bien ser la explicación de que no hubieran matado a nadie. Seguramente se comportarían de forma muy distinta si dispusieran de armas.

Tarzán había visto como el hombre joven cogía el revólver del herido Snipes, y lo escondía en su pecho; y también había visto como se lo entregaba sigilosamente a la joven cuando ésta entraba en la cabaña.

No comprendía nada de todo aquello, pero sin saber por qué, intuitivamente, le agradaban el hombre joven y los dos viejos, y por la muchacha sentia una extraña atracción.

Los marineros, especialmente Snipes, le inspiraban un profundo sentimiento de odio. Por sus gestos amenazadores y por la maligna expresión de sus rostros percibió que eran enemigos de los otros y decidió no perderlos de vista.

Tarzán se preguntaba por qué los hombres habían ido a la selva. Y no se le pasó por la imaginación que alguien pudiera perderse en aquel laberinto de vegetación que para él resultaba tan fácil de recorrer como para nosotros la calle principal de nuestra ciudad.

Cuando vió marchar a los marineros hacia el barco y sabiendo que la joven y su compañera estaban a salvo en la cabaña, Tarzán decidió seguir al joven para averiguar sus intenciones. Moviéndose por las ramas, con su característica agilidad y rapidez, en la dirección que llevaba Clayton, no tardó en oir de lejos las llamadas ocasionales que el inglés hacía a sus compañeros.

Cuando llegó a la altura del hombre blanco, éste estaba reclinado contra un árbol, agotado, limpiándose el sudor de la frente con un pañuelo. Escondido entre las hojas del árbol, el hombre-mono se sentó a observar detenidamente a aquel ejemplar de su propia raza.

De vez en cuando, Clayton daba voces y Tarzán comprendió que debía de andar buscando a los hombres viejos. Se disponía a ir en busca de ellos cuando percibió el amarillento reflejo de una brillante piel que se movía, cautelosamente entre la maleza, hacia Clayton.

Era Sheeta, el leopardo. Tarzán oía perfectamente el suave roce que producía su cuerpo al pasar por entre la hierba y se preguntó como era posible que el joven blanco no oyera nada si estaba más cerca. No se lo explicaba, porque, además, era la primera vez que veía a Sheeta moverse con tanto descaro.

No, definitivamente el hombre blanco no había oido nada. Sheeta se estaba encogiendo para dar el salto, y entonces, terrible y agudo, el salvaje grito de desafío de los grandes monos turbó el silencio de la selva, y Sheeta dió media vuelta y se perdió entre la maleza.

Clayton se puso de pie de un salto. Se le había helado la sangre en las venas. Nunca en su vida había oído un grito tan terrorífico. No era un cobarde, pero ese día, William Cecil Clayton, primogénito de Lord Greystoke de Inglaterra, sintió que los fríos dedos del miedo se cerraban sobre su corazón, entre la vegetación de la selva africana.

El sonido de un gran cuerpo atravesando la maleza, tan cerca de donde él estaba, y el eco de aquel escalofriante grito en los árboles, sometieron el coraje de Clayton a una dura prueba; lo que no sabía es que aquella terrible voz había salvado su vida, y que la criatura a quien pertenecia era su propio primo, el auténtico Lord Greystoke.

La tarde iba tocando a su fin, y Clayton, desanimado, no sabía que decisión tomar; seguir buscando al Profesor Porter ya de noche, arriesgándose a morir en la jungla o volver a la cabaña donde, por lo menos, podría proteger a Jane de los peligros que la acechaban.

No deseaba volver al campamento sin el padre de la joven, pero aún le asustaba más la idea de dejarla, sola y sin protección, en manos de los amotinados del *Arrow*, o expuesta a los innumerables peligros de la selva.

Quizás, pensó, el Profesor y Philander habían vuelto al campamento. Sí, eso era lo más probable. Lo que podía hacer era volver y comprobarlo antes de continuar con la infructuosa búsqueda. Y se fué andando dificultosamente entre la espesura en la dirección que parecía llevar a la cabaña.

Tarzán vió asombrado que el joven se internaba más en la selva en dirección al poblado de Mbonga, y el sagaz hombre-mono se dio cuenta de que se había perdido.

Para Tarzán aquello no era fácil de comprender, pero su sentido de la supervivencia le decía que era una locura ir al poblado de los aguerridos negros, armado tan sólo con una lanza que, a juzgar por la forma de llevarla, era evidente que el hombre blanco no sabía manejar. Tampoco seguía a los dos hombres viejos, porque su rastro había quedado atrás ya hacía rato, Tarzán lo había visto perfectamente.

Estaba perplejo. Aquel indefenso extranjero iba a ser presa fácil de la selva si no lo conducía pronto hasta la playa.

Sí, era Numa el león, siguiendo al hombre blanco, unos doce pasos a su derecha.

Clayton oyó el gran cuerpo que llevaba su misma dirección, y de pronto el pavoroso rugido de la fiera resonó en el aire del atardecer. El hombre se paró levantando la lanza frente a la parte de la espesura de donde procedía el siniestro sonido. Empezaba a caer la noche.

¡Santo Cielo! Iba a morir allí solo, entre los colmillos de las fieras; ser destrozado y despedazado; sentir en su cara el cálido y fétido aliento mientras una enorme zarpa desgarraba su pecho.

Por un momento todo quedó en silencio. Clayton estaba rígido con la lanza levantada. Un ligero roce entre la maleza le anunció el sigiloso deslizarse de la fiera que se preparaba para saltar. De pronto la vió, estaba a unos seis metros. Era el cuerpo largo, musculoso y flexible de un gran león de melena negra.

La bestia arrastraba el vientre, mientras avanzaba con lentitud. Cuando sus ojos se encontraron con los de Clayton, se paró y, deliberada y cautelosamente, juntó las patas traseras.

El hombre miraba angustiado, temeroso de lanzar el venablo, y sin posibilidad de huída.

En los árboles, por encima de donde se encontraba, oyó un ruido. Pensó que se trataría de un nuevo peligro, pero no se atrevió a apartar los ojos del león. Oyó un sonido vibrante, como de una cuerda de guitarra, y en ese mismo momento vio aparecer una flecha en la amarillenta piel del león.

Con un rugido de dolor y rabia, la fiera saltó, pero sin saber cómo, Clayton se echó hacia un lado y al volverse para encarar al enfurecido rey de la selva, quedó asombrado por lo que vieron sus ojos. En el momento en que el león se revolvía para repetir el ataque, un gigante semidesnudo saltó de uno de los árboles sobre el lomo del fiero animal.

Con la velocidad del rayo un brazo con poderosos músculos de acero rodeó el grueso cuello y la gran bestia fue levantada en vilo, rugiendo y dando zarpazos al aire ¡levantada con la misma facilidad con que uno podría levantar a un perrito!

El espectáculo que vio en la incipiente oscuridad del anochecer de aquella selva africana quedó grabado para siempre en la mente del caballero inglés.

El hombre que tenía ante él, era la personificación de la perfección física y de una fuerza gigantesca; pero el resultado de la pelea no dependía de aquellas cualidades, porque aún siendo sus músculos muy poderosos, los de Numa lo eran más. Su supremacía estaba en su agilidad, cerebro y el enorme y afilado cuchillo.

Con el brazo derecho rodeaba el cuello del león y con la mano izquierda hundía el largo cuchillo una y otra vez en su desprotegido costado. La enfurecida bestia, mantenida de pie sobre sus patas traseras, luchaba impotente en aquella postura antinatural.

Si el combate hubiera durado unos segundos más, el resultado hubiese sido muy distinto, pero todo sucedió con tanta rapidez que el león casi no había tenido tiempo de reaccionar ante la sorpresa cuando cayó al suelo sin vida.

Entonces la extraña figura que lo había vencido se puso encima del cadáver y alzando su hermosa y fiera cabeza lanzó el pavoroso grito que tanto había sorprendido a Clayton momentos antes.

Ante él vió la figura de un hombre joven vestido tan sólo con un taparrabos, unos cuantos adornos primitivos en los brazos y en las piernas y un valioso medallón de oro y diamantes sobre su pecho.

Después de devolver el cuchillo a su funda, el hombre recogió el arco y las flechas de donde los había tirado al saltar sobre el león.

Clayton se acercó y le habló en inglés, agradeciéndole su valiente acción y alabando su fuerza y habilidad, pero la única respuesta que recibió fué una mirada abierta y un ligero movimiento de los poderosos hombros que lo mismo podían significar que no tenía importancia lo que había hecho, como que no entendía la lengua de Clayton.

Una vez que acabó de recoger el arco y el carcaj de flechas y los colgó en bandolera, el hombre salvaje, porque eso era para Clayton, volvió a desenfundar el cuchillo y con destreza cortó varios trozos de carne del cuerpo del león y sentándose en el suelo se puso a comer, después de hacer señas a Clayton para que lo acompañara.

Los fuertes dientes se clavaron en la sangrante carne con evidente muestra de placer, pero Clayton no tenía estómago para compartir la carne cruda con su extraño salvador; se quedó observando y llegó a la conclusión de que aquél debía de ser Tarzán de los Monos, el que escribiera la nota que habían visto en la puerta de la cabaña.

Pero si era así, tenía que hablar inglés.

Clayton intentó de nuevo hablar con el hombre-mono, pero las respuestas, ahora orales, eran una extraña lengua que recordaba la charla de los chimpancés mezclada con los gruñidos de un animal salvaje.

No, no podía ser Tarzán de los Monos, porque éste desconocía completamente el inglés.

Cuando Tarzán acabó de comer se levantó y señalando una dirección opuesta a la que Clayton llevaba, echó a andar hacia el punto señalado.

Clayton asombrado y confuso, dudó un momento, porque creía que lo adentraba aún más en la selva; pero el hombre-mono, al ver que no lo seguía, dió la vuelta, agarró a Clayton por la chaqueta y lo llevó semiarrastrando hasta que vió que Clayton comprendía su intención. Entonces lo soltó y dejó que lo siguiera voluntariamente.

El inglés sacó la conclusión de que era un prisionero y que no tenía más alternativa que seguir a su aprehensor. Marchaban lentamente entre la espesura, el impenetrable manto de la noche iba cubriendo la selva, Clayton percibía en torno a ellos las sigilosas pisadas de los felinos mezcladas con el crujir de ramas y los incesantes gritos y rugidos de la vida salvaje.

De pronto, Clayton oyó débilmente la detonación de un arma de fuego, un solo disparo, y después silencio.

En la cabaña de la playa, dos mujeres presas de terror se sentaban abrazadas en medio de la oscuridad reinante.

La negra sollozaba histéricamente, arrepintiéndose del día en que había abandonado su querida Maryland, en tanto que la joven blanca con los ojos secos y aparentemente serena, estaba interiormente deshecha por temores. Temía por ellas y por los tres hombres que se habían adentrado en la abismal profundidad de aquella tenebrosa selva, de la que procedían los chillidos y rugidos con que sus terribles y sanguinarios habitantes acompañaban su merodear.

Y ahora estaba aquel ruído de un cuerpo pesado que rozaba la pared exterior de la cabaña. Oía el pisar de las guateadas patas sobre el suelo. Por un momento todo quedó en silencio, incluso el murmullo de la selva pareció perder intensidad. Entonces pudo oír claramente cómo la bestia olfateaba la puerta, a unos ochenta centímetros escasos de donde ellas estaban sentadas. La muchacha estremeciéndose se abrazó más fuerte a la mujer negra.

"¡Chiss!", susurró. "Calla, Esmeralda", porque le pareció que los lamentos y sollozos de la mujer atraían a la *cosa* que acechaba al otro lado de la delgada pared.

Oyeron arañar suavemente en la puerta. El bruto intentaba entrar; se paró un instante y se volvió a oír cómo las grandes zarpas se posaban en la pared de la cabaña. Otra vez silencio. Instintivamente percibieron que la *cosa* estaba debajo de la ventana y los aterrorizados ojos de la joven se fijaron en aquella dirección.

"¡Dios mío", murmuró, porque en ese momento vió, perfilada por la luz de la luna como aparecía en el pequeño recuadro de la ventana la silueta de la enorme cabeza de una leona, que fijaba en ella sus fieros ojos.

"¡Mira, Esmeralda!", susurró. "¡Dios mío! ¿Qué podemos hacer? ¡Mira, allí en la ventana!"

Esmeralda se aproximó aún más a su señorita y miró hacia el pequeño recuadro iluminado por la luz de la luna, en el momento en que la leona emitía un gruñido sordo y fiero.

La visión que se presentó ante los ojos de la aterrorizada mujer fué demasiado para sus ya sobreexcitados nervios.

"¡Oh, Santo Cielo!", chilló, y cayó inerte al suelo, como un fardo.

La gran fiera permaneció un rato, que a la joven le pareció una eternidad, mirando hacia el interior con las patas delanteras apoyadas en el antepecho del ventanuco, comprobando con sus enormes zarpas la resistencia de la reja.

La muchacha casi se había quedado sin respiración cuando vio aliviada que la cabeza desaparecía y oyó cómo la bestia se alejaba. Pero no tardó mucho en notar su presencia delante de la puerta dando zarpazos cada vez con más intensidad hasta sacar astillas del robusto y pesado panel en su salvaje avidez por apoderarse de sus dos indefensas víctimas.

De conocer la robustez de aquella pesada hoja de madera, construída pieza a pieza, Jane no hubiera sentido temor de que la fiera pudiera alcanzarlas por esa vía.

Cuando John Clayton construyó aquella rudimentaria pero impresionante puerta, no podía imaginar que un día, veinte años más tarde, iba a proteger a una bella joven americana, de las garras de un devorador de hombres.

Durante más de veinte minutos la leona olfateó y dio zarpazos, rugiendo salvajemente, en su furiosa decepción. Finalmente desistió y Jane oyó que volvía al ventanuco. Después de un momento de silencio, la fiera lanzó su gran peso contra la que había sido una resistente reja, pero que ahora estaba deteriorada por el tiempo.

La muchacha oyó crujir los barrotes de madera bajo el terrible impacto, pero éstos resistieron la primera embestida, y el cuerpo cayo pesadamente al suelo.

Una y otra vez, la leona repitió su ataque hasta que por fin vio cómo cedía una parte de la reja e instantáneamente una gran zarpa y la cabeza del animal se introducían por la abertura.

Lentamente, el poderoso cuello y las paletillas lograron ir separando los barrotes y el flexible cuerpo empezó a introducirse poco a poco en la habitación.

Como en trance, la joven se levantó, con las manos cruzadas sobre el pecho, mirándo con ojos aterrorizados a la enorme y terrible cabeza de la bestia. A sus pies estaba la inerte figura de la negra. Si estuviera consciente, entre las dos quizás hubieran podido atacar a golpes al sanguinario intruso.

Jane se acercó a la mujer caída y la sacudió con violencia.

"¡Esmeralda, Esmeralda!", gritó. "Tienes que ayudarme, si no estamos perdidas".

Esmeralda abrió los ojos lentamente, y lo primero que vió fué la babeante boca de la hambrienta leona.

Dando un grito de terror la pobre mujer se puso a cuatro patas y en esta posición recorrió la habitación gritando: "Oh, Cielo Santo! ¡Oh, Cielo Santo!", con toda la fuerza de sus pulmones.

Esmeralda rondaba los ciento treinta kilos de peso, y en aquella postura su corpulencia y su rapidez de movimientos produjeron un resultado sorprendente.

Por un momento la leona permaneció inmóvil con la vista fija en aquella extraña figura que era Esmeralda, ésta intentaba dirigirse a los armarios con la evidente intención de esconderse en uno de ellos, cosa que le resultó completamente imposible y dando un grito que empalideció a todos los ruídos de la selva, volvió a desmayarse.

Cuando vió desplomarse a Esmeralda, la leona renovó sus esfuerzos para introducir su enorme cuerpo a través de la destrozada reja.

La joven, pálida y rígida contra la pared del fondo, trataba de buscar, muerta de terror, alguna posibilidad de huida. De pronto su mano percibió la dura presencia del revólver que Clayton le había entregado por la mañana.

Rápidamente lo empuñó y apuntando a la cabeza de la leona apretó el gatillo.

Se produjo un fogonazo, y se oyeron simultáneamente el estruendo de la detonación y un rugido de dolor y rabia de la fiera.

Jane Porter vió desaparecer la gran forma de la ventana, y entonces, se desvaneció.

Pero Sabor no estaba muerta. La bala no le había producido más que una dolorosa herida en un hombro. Lo que había producido su momentánea y rápida retirada, había sido la sorpresa del cegador fogonazo y la ensordecedora detonación.

Inmediatamente volvió a la ventana y con renovada furia empezó a dar zarpazos a la reja, con menor efecto, puesto que el miembro herido servía más de estorbo que de ayuda.

Vió a sus presas —las dos mujeres— caídas sobre el suelo. Nada se le oponía. Su comida estaba allí delante, lo único que Sabor tenía que hacer era abrirse camino por la ventana para cogerla.

Lentamente fue introduciendo su cuerpo, centímetro a centímetro. Primero entró la cabeza, después una pata y un hombro. Cuidadosamente introdujo el miembro herido por entre las barras de la reja. Un poco más y su largo y sinuoso cuerpo se deslizaría en el interior.

Fue en ese momento cuando Jane Porter abrió otra vez los ojos.

15. EL DIOS DE LA SELVA

Clayton oyó el sonido del arma y su ánimo se estremeció de angustia. Sabía que el autor del disparo podía ser uno de los marineros; pero el hecho de haber dejado a Jane el revólver le hacía temer que la joven estuviera amenazada por algún peligro. Quizás intentaba defenderse de algún hombre o fiera salvaje.

No conocía los pensamientos del hombre-mono, tan sólo podía hacer conjeturas; sabía que había oído el tiro y que lo había afectado, por eso apuró el paso de tal forma que, en su intento por seguirlo, Clayton tropezó y cayó más de una docena de veces, y pronto quedó irremediablemente atrás.

Temiendo perderse otra vez, llamó a gritos al hombre primitivo, viendo con satisfacción que regresaba a su lado saltando desde un árbol.

Tarzán se quedó mirando al joven pensando indeciso en lo que podía hacer; entonces por señas indicó a Clayton que se agarrara a su cuello, y llevando al hombre blanco en la espalda se volvió a los árboles.

Los minutos que siguieron, fueron inolvidables para el joven inglés. Saltando de rama en rama, fue transportado, con lo que a él le pareció increíble rapidez, aunque para Tarzán era exasperante lentitud.

Desde una rama, la ágil criatura se lanzaba, describiendo un arco a la rama del árbol siguiente; o con una especie de extraños pasos de danza, como una funambulista, corría por las ramas, a gran distancia de la maleza que cubría el suelo.

De una sensación de miedo, Clayton pasó a sentir admiración y envidia por la potencia de los músculos y el fantástico conocimiento instintivo de orientación que guiaba a aquel dios de la selva a través de la negrura de la noche con la misma seguridad con que el joven inglés podría haber estado paseando por el centro de Londres a pleno día.

Ocasionalmente atravesaban zonas en las que el follaje era menos denso y la luz de la luna iluminaba la increible escena.

Entonces se le cortaba la respiración a la vista de las tenebrosas profundidades que se abrían bajo sus pies, porque Tarzán seguía el camino más fácil y frecuentemente estaban a más de veinte metros del suelo.

Por fin llegaron al claro que limitaba con la playa. El fino oído de Tarzán percibió el extraño ruido de los esfuerzos de Sabor por abrirse camino a través de la reja y a Clayton le dio la impresión de que, por la velocidad del descenso, habían dado un salto de veinte metros. Sin embargo, cuando tocaron el suelo no sintió el golpe de la caída y cuando soltó al hombre-mono, éste salió disparado hacia la cabaña con la rapidez de una ardilla.

El inglés corrió en la misma dirección y llegó justo a tiempo de ver cómo los cuartos traseros de un gran animal estaban a punto de desaparecer por la ventana de la cabaña.

Cuando Jane abrió los ojos a la realidad percibió el inminente peligro que la amenazaba y en su valiente ánimo dio por perdida toda esperanza. De pronto notó sorprendida cómo el animal era arrastrado poco a poco hacia atrás por el ventanuco, y la luz de la luna le permitió ver las cabezas de dos hombres.

Al llegar Clayton a la fachada de la cabaña el hombre-mono cogía el rabo de la fiera con ambas manos y apoyando los pies en la pared tiraba del animal con toda la potencia de sus músculos para sacarlo de la ventana.

Clayton se apresuró a echar una mano, pero el hombre-mono se dirigió a él en tono perentorio dando algún tipo de orden que el inglés no comprendió.

Combinando los esfuerzos, el gran cuerpo fue arrastrado hacia afuera poco a poco y Clayton empezó a darse cuenta real del valor que estaba demostrando su compañero. El que un hombre desnudo sacara a una leona rugiente y forcejeante de una ventana para salvar a una desconocida muchacha blanca representaba un acto de heroísmo sin par; respecto a él la cosa era muy distinta, puesto que la joven no sólo era de su especie y raza, sino que también era la mujer a la que amaba sobre todas las cosas.

A sabiendas de que la leona acabaría pronto con ambos, tiró con todas sus fuerzas para separarla de Jane Porter. Y entonces, al recordar la pelea que había presenciado entre aquel hombre y el gran león de melena negra comenzó a sentir alguna esperanza.

Tarzán seguía dando unas órdenes que Clayton no comprendía.

Estaba intentando decirle al estúpido hombre blanco que clavara las flechas envenenadas en el cuerpo de Sabor o que tratara de alcanzar el corazón con el gran cuchillo de caza que colgaba de su muslo. Tarzán no se atrevía a soltar a su presa para hacerlo él mismo porque sabía que el débil hombre blanco no podría aguantar solo la fuerza de la leona.

Poco a poco Sabor iba saliendo de la ventana, y finalmente sus patas delanteras quedaron fuera. Entonces Tarzán recordó su pelea con Terkoz, y tan pronto como los hombros de la fiera quedaron fuera de la ventana, de forma que la leona quedó apoyada sólo con las zarpas delanteras, Tarzán soltó el rabo de la bestia.

Con la rapidez de una serpiente cascabel se lanzó sobre la espalda de Sabor, tratando de conseguir un doble Nelson con sus jóvenes y robustos brazos, tal como había aprendido en su brutal pelea con Terkoz.

Con un espantoso rugido, la leona se echó hacia atrás cayendo encima de su enemigo, pero el gigante de melena negra no soltó su presa.

Dando terribles e inútiles zarpazos al aire, Sabor se debatía para quitarse de encima aquel extraño enemigo, pero los brazos presionaban más y más haciendo bajar dolorosamente su cabeza hacia el poderoso pecho.

Cuanto más aumentaba la presión de los brazos del hombre-mono sobre el cuello de Sabor, más débiles se hacían los esfuerzos de la leona.

Clayton vio cómo los enormes músculos de los hombros y brazos de Tarzán se iban transformando en nudosas fibras de acero y tras un último y prolongado esfuerzo del hombre-mono se oyó un siniestro crujido que denunciaba el partirse de las vértebras del cuello de Sabor.

Tarzán se puso de pie inmediatamente y, por segunda vez en un día, Clayton oyó el salvaje grito de victoria de los grandes monos macho. Seguidamente se escuchó la voz aterrorizada de Jane.

"¡Cecil... Mr. Clayton! ¿Qué pasa?, ¿qué pasa?"

Abalanzándose sobre la puerta de la cabaña, Clayton la dijo que ya había pasado todo y que podía abrir. Haciendo enormes esfuerzos, ella levantó la barra que atrancaba la puerta y dejó pasar a Clayton.

"¿Qué fue ese grito horrible?", dijo ella aproximándose.

"Fue el grito de victoria que salió de la garganta del hombre que ha salvado su vida, Miss Porter. Espere un momento, voy a buscarlo para que lo conozca".

La atemorizada joven no se atrevía a quedarse sola y acompañó a Clayton hasta donde yacía el cuerpo sin vida de la leona.

Tarzán de los Monos había desaparecido.

Clayton lo llamó varias veces, pero no obtuvo respuesta y ambos volvieron a la seguridad del interior de la cabaña.

"¡Fue un grito horrible!", dijo Jane "Tiemblo sólo con pensar en él. No es posible que proceda de una garganta humana".

"Pues lo es, Miss Porter", replicó Clayton. "Y si no es un humano, entonces es un dios de la selva".

Después relató sus experiencias con aquella extraña criatura, que le había salvado la vida por dos veces; habló de la enorme fuerza, agilidad y valor de aquel ser de hermosa cabeza y piel bronceada por el sol.

"No acabo de comprenderlo del todo", concluyó. "Al principio creí que se trataba de Tarzán de los Monos, pero éste ni habla ni entiende inglés, así que no puede ser él".

"Bueno, quien quiera que sea", dijo la muchacha, "le debemos la vida. ¡Que Dios le bendiga y le guarde en su salvaje y primitiva selva!"

"Amén", dijo Clayton vehementemente.

"¡Alabado sea Dios, no estoy muerta!"

Ambos se volvieron a mirar a Esmeralda que estaba sentada en el suelo. Sus grandes ojos miraban en derredor como para convencerse de que era cierto lo que veía.

En ese momento, los nervios de Jane Porter no pudieron aguantar la tensión por más tiempo y se echó sobre el banco llorando y riendo histéricamente.

16. "ES EXTRAORDINARIO"

Varios kilómetros más al sur, sobre la arenosa franja de la playa los dos ancianos discutían.

Ante ellos el Atlántico; a sus espaldas el continente negro y, a unos metros, la impenetrable espesura de la selva virgen.

A sus oídos llegaban los gruñidos y rugidos de las fieras salvajes, y los miles de sonidos siniestros y misteriosos de la selva. Habían recorrido muchos kilómetros buscando el campamento, pero siempre en dirección equivocada. Estaban tan irremediablemente perdidos como si hubieran sido transportados a otro planeta.

Dado lo desesperado de su situación, lógicamente sus pensamientos deberían estar concentrados en una cuestión de vital importancia: cómo volver a la cabaña.

Estaba hablando Samuel T. Philander.

"No, Profesor", decía. "Sigo manteniendo que, de no haber sido por la expulsión de los moros de España en el siglo quince, la civilización actual estaría infinitamente más avanzada. Los moros eran un pueblo esencialmente tolerante y liberal de agricultores, artesanos y comerciantes —exactamente la misma clase de pueblo que ha hecho posible el tipo de civilización que hoy tenemos en América y Europa— en tanto que los españoles..."

"Tonterías, querido Mr. Philander", interrumpió el Profesor Porter, "su religión impide específicamente las posibilidades que usted indica. El Islam fue, es y será un lastre para un progreso científico como el que..."

"¿Ha oído eso, Profesor?", dijo Mr. Philander, volviendo sus miopes ojos hacia la selva, "parece que se acerca alguien".

El Profesor Arquímedes Q. Porter se volvió en la dirección que le indicaban.

"Tonterías, Mr. Philander", protestó el Profesor. "¿Cuántas veces he de decirte que no debe distraer de esta forma su capacidad de concentración mental que es precisamente la que concede ese poder intelectual que le sitúa entre las grandes mentalidades de nuestro tiempo? Y ahora me viene usted con esa falta de cortesía, interrumpiendo mi disertación para llamar la atención sobre un simple cuadrúpedo del género *Felis*. Como le iba diciendo Mr..."

"¡Por todos los cielos, Profesor, un león!", gritó Mr. Philander esforzando los débiles ojos para ver mejor la silueta que se encontraba contra la espesura tropical.

"Bueno, Mr. Philander, si se empeña en utilizar vulgarismos en su habla, es un *león*. Pero como le iba diciendo..."

"Muy bien, Profesor", interrumpió nuevamente Mr. Philander. "Permítame sugerirle que, puesto que los árabes derrotados en el siglo quince continuarán en la miserable situación en que se encuentra por lo menos unos días más, dejemos de momento de discutir el tema de esa calamidad histórica y procuremos conseguir esa extraordinaria visión del *Felis carnivora* que, según dicen, solamente proporciona la distancia".

Mientras tanto el león se había ido aproximando con andar reposado hasta unos diez pasos de los dos hombres, parándose a observarlos.

La luz de la luna inunda la playa, proyectando la sombra del extraño grupo sobre la arena.

"Esto es de un descuido imperdonable", exclamó el Profesor Porter con muestras de desagrado en su voz. "Es la primera vez en mi vida que veo que a uno de esos animales se le permite salir de su jaula para pasear tranquilamente por ahí. Me quejaré a la dirección del zoológico por este incalificable incidente".

"Estoy totalmente de acuerdo, Profesor", dijo Mr. Philander, "y cuando antes lo hagamos mejor. Vayamos ahora mismo".

Tomando al Profesor por un brazo, Mr. Philander se echó a andar con la intención de poner la mayor distancia posible entre ellos y el león.

Habían recorrido un corto trecho cuando al mirar hacia atrás Mr. Philander vio horrorizado que el león los seguía. Apretando el brazo del Profesor apuró el paso sin hacer caso de las protestas de éste.

"Como le decía, Mr. Philander", repitió el Profesor Porter.

Mr. Philander volvió a mirar. El león también había acelerado su paso y lo seguía a la misma distancia, como si se tratara de un perro.

"¡Nos sigue!", dijo con voz entrecortada emprendiendo una veloz carrera.

"¡Qué tontería hace, Mr. Philander", objetó el Profesor. "Esa prisa desaforada es impropia de hombres de ciencia ¿Qué dirían nuestros conocidos si nos vieran utilizar modales tan incorrectos? Trate de moderar sus arrebatos".

Mr. Philander volvió a mirar hacia atrás.

El león avanzaba con paso elástico a unos cinco metros.

Mr. Philander soltando el brazo del Profesor echó a correr con tanta rapidez que cualquier atleta hubiera sentido envidia.

"Como le decía, Mr. Philander...", gritó el Profesor Porter, echando también a correr como un desesperado. Había visto los siniestros y crueles ojos y la boca semiabierta a escasa distancia de su persona.

Con la cola de su frac ondeando, el Profesor Arquímedes Q. Porter volaba más que corría bajo la luz de la luna, pisándole los talones a Mr. Samuel T. Philander.

Ante ellos la selva se extendía por un estrecho promontorio, y era hacia aquel paraíso de árboles a donde Mr. Samuel T. Philander dirigía sus increíblemente voladores pies. Desde las sombras de aquel mismo lugar dos ojos observaban curiosos la carrera.

Era Tarzán de los Monos, que contemplaba con expresión divertida aquella singular persecución.

Sabía que los dos hombres no corrían peligro por parte del león. El hecho de que Numa hubiera dejado escapar aquellas fáciles presas significaba que tenía el estómago lleno.

Podía suceder que el león los siguiera hasta volver a tener hambre, pero lo más lógico era que si no se irritaba pronto se cansaría del juego y volvería a su cubil en la selva.

El único peligro real estaba en que uno de los dos hombres tropezara y cayera, entonces el diablo amarillo caería sobre él y el placer de matar sería demasiado tentador para reprimirlo.

Tarzán se dejó caer a una rama más baja delante de los dos fugitivos tan pronto como Mr. Samuel T. Philander apareció jadeante, demasiado agotado como para poder trepar al árbol. Tarzán alargó el brazo y agarrándolo por el cuello de la chaqueta lo subió y lo sentó en una rama al lado de la suya.

En seguida apareció el profesor dentro del radio de acción del amistoso brazo y también él fue izado a la seguridad en el momento en que el frustrado Numa saltaba tratando de recuperar la presa que se le escapaba.

Durante un momento los dos hombres colgaron de la rama agitándose, mientras Tarzán apoyado contra el tronco del árbol los miraba entre curioso y divertido.

El Profesor fue el primero en romper el silencio.

"Mr. Philander, estoy consternado por la falta de coraje que ha evidenciado ante un ser de una especie inferior. Por culpa de su cobardía he tenido que hacer un considerable y desacostumbrado esfuerzo para poder proseguir mi disertación. Como estaba diciéndole cuando me interrumpió, los árabes..."

"Profesor Arquímedes Q. Porter", cortó Mr. Philander en tono agrio. "Llegó el momento en que la paciencia dejó de ser una virtud para convertirse en pecado y el pecador se presenta ahora arropado con el manto de la virtud. Me ha acusado de cobardía. Está insinuando que usted solamente corrió para darme alcance y no para escapar de las garras del león. Tenga cuidado, Profesor Arquímedes Q. Porter, soy un hombre desesperado y también un gusano puede revolverse y atacar si se ve acosado".

"Eso es una tontería, Mr. Philander", dijo el Profesor Porter. "Se está usted pasando".

"No me estoy pasando ni un pelo, Profesor Arquímedes Q. Porter, pero créame estoy a punto de olvidar sus canas y el lugar prominente que usted ocupa en el mundo de la ciencia".

El Profesor permaneció en silencio, la oscuridad reinante ocultaba la sonrisa que apareció en su semblante. Por fin dijo:

"Mire, Philander, si lo que usted busca es pelea, quítese la chaqueta y baje al suelo, le voy a demostrar que aún puedo pelear como lo hacia hace sesenta años en el patio de la granja de Porky Evans".

"¡Arquímedes!", contestó sorprendido Mr. Philander. "¡Qué agradable resulta cuando habla en tono mundano! Hace veinte años que no le oía hablar así, creí que ya se había olvidado de que vivía en el mundo".

El Profesor alargó su mano en la oscuridad hasta que, a tientas, tocó el hombro de su viejo amigo.

"Perdóneme, Samuel", dijo suavemente. "En veinte años, solamente Dios sabe las veces que he intentado ser humano en todo este tiempo, por Jane y por usted. Desde que se me fue mi otra Jane".

Otra vieja mano se separó del costado de Mr. Philander para ir al encuentro de la que estaba en su hombro. Ningún discurso podría haber expresado mejor el mutuo sentimiento de afecto de aquellos dos científicos.

Permanecieron en silencio algunos minutos. El león paseaba nerviosamente por debajo de ellos. La tercera figura que estaba en el árbol se hallaba oculta entre la sombra reinante. Guardaba silencio y permanecía inmóvil como una estatua.

"Menos mal que usted tiró de mí en el momento preciso para subirme a este árbol. ¡Gracias por salvarme la vida!", dijo el Profesor rompiendo el silencio.

"¡Pero si yo no lo hice, Profesor! ¡Cielos! La excitación del momento casi me hizo olvidar que también yo fui subido al árbol por alguien desconocido. En este árbol debe de haber algo o alguien que nos ha ayudado".

"¿Cómo?", soltó el Profesor Porter. "¿Está usted seguro, Mr. Philander?"

"Totalmente seguro, Profesor", replico Mr. Philander, y añadió: "creo que deberíamos darle las gracias a nuestro salvador. Debe de estar sentado a su lado".

"No diga cosas raras, Mr. Philander", dijo el Profesor Porter aproximándose con cuidado a su ayudante.

En ese momento, Tarzán de los Monos consideró que Numa ya había molestado bastante y alzando su joven cabeza al cielo pronunció el temible grito de desafío de los antropoides, dejando atónitos y aterrorizados a los dos ancianos.

Los dos amigos, acurrucados y temblorosos en un inseguro asiento de la rama, vieron cómo el gran león hacía una parada en su nervioso e interminable pasear al oír el grito y a continuación desapareció entre la maleza.

"Incluso el león huye asustado", susurró Mr. Philander.

"Es extraordinario, realmente extraordinario", murmuró el Profesor Porter, agarrándose desesperadamente a su amigo para recobrar el equilibrio que había perdido con el susto provocado por el inhumano grito. Desgraciadamente para los dos, el equilibrio de Mr. Philander estaba apoyado en nada y no necesitó otra cosa que el suave empujón suministrado por el Profesor Porter al intentar agarrarse, para que el cuerpo de su secretario se balanceara peligrosamente.

Durante un segundo ambos bracearon para intentar ganar la vertical y entonces, dando un grito de los menos académicos, cayeron de cabeza ceñidos en un apretado abrazo.

Pasó un rato largo antes de que ninguno de los dos se moviera, porque ambos estaban totalmente seguros de que al hacerlo empezarían a notar las diferentes fracturas que indudablemente habian sufrido sus cuerpos.

Por fin el Profesor Porter intentó mover una pierna; para su sorpresa ésta respondió normalmente. Levantó la otra y vio que también se movía.

"Es extraordinario, realmente extraordinario", murmuró.

"Dios sea loado, Profesor", dijo Mr. Philander con vehemencia. ¿Está usted vivo?"

"Pues ¿qué quiere que le diga, Mr. Philander?", dijo el Profesor Porter. "Todavía no puedo asegurarlo".

Con infinito cuidado el Profesor Porter movió el brazo derecho. Estaba intacto. Probó el brazo izquierdo... Se movía normalmente.

"Es extraordinario, realmente extraordinario".

"¿A quién le hace señas, Profesor?", preguntó Mr. Philander extrañado.

El Profesor Porter decidió no contestar a tan infantil pregunta y empezó a mover la cabeza de un lado a otro varias veces.

"Es extraordinario", dijo aliviado. "Está intacta".

Mr. Philander no se había movido de donde había caído; ni siquiera lo había intentado. ¿Cómo iba a hacerlo si tenía rotos los brazos y las piernas?

Mirando por el rabillo del ojo veía asombrado los extraños movimientos que hacía el Profesor Porter.

"¡Es triste!", exclamó Mr. Philander a media voz. "Contusión cerebral afectando a las facultades mentales. Será una pérdida irreparable para la ciencia".

El Profesor Porter se echó sobre el estómago haciendo flexiones y arqueando la espalda. Después se sentó y empezó a palparse distintas partes de su anatomía.

"Todo está en su sitio", exclamó. "¡Es extraordinario!"

Después se puso en pie y mirando a Mr. Philander que aún estaba tendido en el suelo, dijo:

"Vamos, vamos, Mr. Philander, éste no es el momento más apropiado para dejarse vencer por la pereza. Tenemos que ponernos en camino".

Mr. Philander se lo quedó mirando furioso. Entonces intentó ponerse en pie y al ver sus esfuerzos coronados por el éxito se quedó atónito.

Enfurecido todavía por la cruel e injusta despreocupación del Profesor Porte ya iba a explotar cuando su mirada se posa sobre la extraña figura que estaba de pie a unos pasos de ellos observándolos atentamente.

El Profesor Porter había recuperado su sombrero de copa, lo había vuelto a poner en la cabeza y entonces vio que Mr. Philander le señalaba algo que estaba a sus espaldas al volverse se encontró ante la presencia de un gigante, vestido tan sólo con un taparrabos y unos cuantos ornamentos metálicos.

"¡Buenas tardes, caballero!", dijo el Profesor tocando el ala del sombrero con la punta de los dedos.

Como única respuesta el gigante les hizo señas de que lo siguieran y se puso a andar por la playa en la misma dirección por la que habían venido.

"Creo que lo más acertado será seguirlo", dijo Mr. Philander.

"Ni en sueños, Mr. Philander", contestó el Profesor. "Aún no hace mucho usted me exponía en lógica argumentación su teoría de que la cabaña estaba situada hacia el sur de donde nos encontrábamos. A pesar de mi escepticismo inicial, usted acabó convenciéndome, y ahora estoy totalmente seguro de que si queremos llegar a donde están nuestros amigos hemos de ir hacia el sur. Por lo tanto, yo me voy en esa dirección".

"Pero Profesor Porter, este hombre parece conocer el terreno mejor que nosotros. Da la impresión de ser nativo de esta parte del mundo. Es mejor seguirlo, por lo menos un trecho".

"Tonterías, Mr. Philander", replicó el Profesor. "Soy una persona difícil de convencer, pero cuando se me convence mi decisión es inquebrantable. Seguiré en la dirección correcta, aunque tenga que dar la vuelta al continente africano para llegar a mi punto de destino".

La discusión fue interrumpida por Tarzán que, al ver que aquellos extraños hombres no le seguían, volvió a su lado.

Les volvió a hacer señas, pero no parecieron hacerle caso.

El hombre-mono perdió la paciencia con la estúpida

ignorancia que demostraban. Agarró al asustado Mr. Philander por un hombro, y antes de que el ilustre caballero se diera cuenta exacta de lo que pasaba, Tarzán ató un extremo del lazo a su cuello.

"Parece mentira que usted, Mr. Philander, se deje someter a tal indignidad", dijo el Profesor Porter.

No había acabado de pronunciar tales palabras cuando también él fue agarrado y atado por el cuello con la misma cuerda. Entonces Tarzán se dirigió hacia el norte conduciendo a los aterrorizados científicos.

En completo silencio marcharon durante lo que a los dos cansados e impotentes ancianos parecieron horas; pero por fin al subir una pequeña loma vieron, con ojos llenos de gozo, la cabaña a unos cien metros de distancia.

Al llegar a este punto, Tarzán los liberó y señalando la cabaña desapareció en la selva.

"Es extraordinario, realmente extraordinario, pero como verá, Mr. Philander, al final tenía yo razón, como siempre, y si no hubiera sido por su terquedad nos hubiera evitado una serie de acontecimientos humillantes, por no decir peligrosos. Esto le enseñará a seguir los dictados de una mente más experta y práctica para la próxima vez".

Mr. Samuel T. Philander se sintió demasiado aliviado por el feliz final de su aventura como para tener en cuenta el sarcasmo del inconsecuente Profesor. Y cogiendo a su amigo por el brazo apuró el paso en dirección a la cabaña.

El pequeño grupo sintió cierto alivio al verse reunido de nuevo. Llegó el amanecer y todavía seguían contándose las aventuras vividas y especulando sobre la identidad del extraño guardián y protector que habían encontrado en aquella salvaje parte de la costa.

Esmeralda estaba totalmente convencida de que se trataba de un ángel del Señor, que había sido enviado para guardarlos.

"Si le hubieras visto comer cruda la carne del león, Esmeralda", dijo Clayton riendo, "pensarías que se trataba de un ángel muy material".

"En su voz no había nada de angélico", dijo Jane Porter estremeciéndose al recordar el horrible grito que siguió a la muerte de la leona.

"Ni su comportamiento estaba en consonancia con la idea que yo tengo de los divinos mensajeros, cuando el... ¿cómo diría yo?... El caballero osó atar por el cuello a dos respetables académicos y los condujo como si de ganado se tratara", afirmó el Profesor Porter.

17. EL ENTIERRO

El día ya estaba bastante avanzado y como ninguno había comido desde la mañana anterior, se dispusieron a preparar algo para aplacar el hambre.

Los amotinados del *Arrow* habían desembarcado un pequeño suministro de carne seca, sopa y vegetales enlatados, pan de galleta, harina, té y café para los pasajeros que habían abandonado en la playa.

Después de comer decidieron hacer habitable la cabaña y con este objeto retiraron el macabro recuerdo de la tragedia que había tenido lugar allí en el pasado.

El Profesor Porter y Mr. Philander se interesaron vivamente en el estudio de los esqueletos. Sobre los dos grandes aseguraban que se trataba de dos adultos, hombre y mujer, de raza blanca. Al pequeño no le prestaron demasiada atención, dado que al estar en la cuna no dejaba duda de que se trataba del hijo de la infortunada pareja.

Estaban preparando el esqueleto del hombre para su enterramiento, cuando Clayton descubrió un gran anillo oculto hasta ahora por los restos de la ropa, y que todavía rodeaba una de las falanges de la mano.

Al cogerlo para examinarlo más detenidamente, Clayton dio un grito de sorpresa, porque aquel anillo tenía el sello de la casa de Greystoke.

En ese mismo momento, y al revisar los libros de las estanterías, Jane pudo leer en la primera hoja de uno de ellos el nombre de *John Clayton, Londres.* En otro libro que examinó apresuradamente vio el nombre de *Greystoke.*

"Mr. Clayton", dijo ella. "¿Qué cree usted? Aquí en estos libros está escrito el nombre de alguien de su familia".

"Y aquí", replicó él pensativo, "tengo el anillo de la

casa de Greystoke, que se había perdido desde que mi tío John Clayton, el anterior Lord Greystoke, desapareció en un naufragio".

"¿Cómo se explica entonces que estas cosas se encuentren aquí, en esta selva africana?", preguntó la joven.

"Solamente hay una explicación posible para ello, Miss Porter, Lord Greystoke no se ahogó. Murió en esta cabaña y éstos son sin duda sus restos mortales", contestó Clayton.

"Entonces ésta debió ser Lady Greystoke", dijo Jane señalando los tristes vestigios óseos que estaban encima de la cama.

"La bellísima Lady Alice", replicó Clayton, "de cuyas muchas virtudes y extraordinaria personalidad tanto he oído hablar a mis padres. ¡Pobre mujer!", murmuró apesadumbrado.

Con toda solemnidad y respeto, los cuerpos de Lord y Lady Greystoke fueron enterrados al lado de su pequeña cabaña africana y en medio de ellos fue colocado el diminuto esqueleto del hijo de Kala, la mona.

Cuando Mr. Philander estaba colocando el frágil y diminuto esqueleto en un trozo de lona, examinó el cráneo detenidamente y llamó al Profesor Porter. Ambos científicos discutieron un rato en voz baja.

"¡Es extraordinario, realmente extraordinario!", exclamó el Profesor Porter.

"Eso mismo creo yo", dijo Mr. Philander, "debemos informar inmediatamente a Clayton de nuestro descubrimiento.

"No, ¿para qué?", contestó el Profesor Arquímedes Q. Porter. "El pasado es mejor enterrarlo".

El anciano de blancos cabellos recitó una plegaria de difuntos sobre la fosa, en tanto que sus cuatro acompañantes guardaron un respetuoso silencio.

Tarzán de los Monos observaba la ceremonia desde los árboles, pero su atención estaba centrada en la hermosa cara y perfecta figura de Jane Porter.

En su salvaje y sencillo pecho se abrían paso nuevas emociones que no podía comprender. Se preguntaba por qué se sentía tan atraído por aquellos seres, ¿por qué había salvado las vidas de aquellos tres hombres? Sin embargo, no dudaba de los motivos por los que había privado a los dientes de Sabor de la tierna carne de la joven extranjera.

Los hombres eran estúpidos, ridículos y cobardes. Incluso Manu, el mico era más inteligente que ellos. Si aquellas eran criaturas de su propia especie, no había mucha razón para sentirse orgulloso.

Pero la joven, ¡ah!, eso era algo distinto. Ahí le era imposible razonar. Comprendió que ella había nacido para ser protegida y que él había sido creado para protegerla.

¿Cuál sería el motivo de cavar aquel gran agujero para guardar unos huesos totalmente secos? Aquello no tenía sentido, nadie roba huesos. Si tuvieran carne lo hubiera comprendido, porque era la única forma de evitar que Dango, la hiena, o cualquier otro ladrón de la selva robara aquella comida.

Después de rellenar de tierra la sepultura el pequeño grupo volvió a la cabaña, y Esmeralda, todavía llorando por la muerte de aquellos dos seres que no había conocido, y que llevaban veinte años muertos, miró casualmente hacia la ensenada. Instantáneamente sus lágrimas cesaron.

"Miren, allí están otra vez en su condenado barco", dijo casi chillando y señalando al *Arrow*. "Parece que se ríen de nosotros, por la suerte que corremos en esta horrible isla".

El *Arrow* se estaba moviendo hacia la entrada de la bahía con la intención de poner rumbo a mar abierto.

"Nos habían prometido armas y municiones. ¡Los muy cerdos!", dijo Clayton.

"Esto es obra de Snipes, estoy segura", opinó Jane. "King era un bandido, pero aún le quedaba un resto de humanidad. Si no lo hubieran matado sé que hubiera hecho lo posible para dejarnos bien provistos antes de abandonarnos a nuestra suerte".

"Lo que yo siento es que no se despidan antes de marchar", observó el Profesor Porter. "Tenía intención de pedirles que nos dejaran el tesoro, porque si lo pierden será mi ruina".

Jane miró a su padre con ojos tristes:

"No te preocupes por eso, papá. No hubieras conseguido nada, porque precisamente por el tesoro fue por lo que mataron a los oficiales y nos abandonaron en esta horrible isla, o lo que sea".

"No, hija, no", replicó su padre. "Eres deliciosa, pero totalmente inexperta en cuestiones prácticas", y el Profesor Porter dio media vuelta y se fue andando en dirección a la selva, cogiéndose las manos por debajo del faldón de su levita y con la vista fija en el suelo.

Su hija se quedó mirándolo con una sonrisa triste, y volviéndose hacia Mr. Philander, dijo:

"Por favor, no deje que se pierda como ayer. Usted es la única persona que sabe cómo tratarlo y vigilarlo".

"De día en día está más imposible", replicó Mr. Philander, suspirando y moviendo la cabeza. "Me imagino que ahora irá a informar a la dirección del zoológico de que uno de sus leones andaba ayer suelto por la noche. Miss Jane, no sabe usted bien lo difícil que resulta manejarlo".

"Sí, lo sé, Mr. Philander. Todos le queremos, pero usted es el único que puede controlarlo, porque, a pesar de lo que le pueda decir, siente un gran respeto por su sabiduría y capacidad de juicio. El no sabe distinguir entre conocimientos científicos y sentido común".

Con expresión compungida Mr. Philander se fue en seguimiento del Profesor Porter, aunque interiormente iba pensando si debía sentirse agraviado o complacido por lo que le acababa de decir Miss Porter.

Tarzán vio la consternación reflejada en los rostros de los componentes del pequeño grupo cuando vieron partir el *Arrow*, y como para él el velero era una novedad, decidió ir hasta la entrada de la ensenada para contemplar mejor el barco y saber, por pura curiosidad, que rumbo tomaba.

Trasladándose por los árboles, para viajar más rápido, llegó a la punta del promontorio justo cuando el barco estaba saliendo por la boca de la ensenada, consiguiendo así una visión inmejorable de aquella maravillosa casa flotante.

Había una veintena de hombres moviéndose por cubierta y arriando cabos.

Soplaba una ligera brisa terrestre, el barco se había movido hasta entonces con poca vela, pero tan pronto como llegó a mar abierto, fueron desplegadas todas las velas para aprovechar el viento al máximo.

Tarzán estaba observando el grandioso y elegante deslizar del barco, sobre las olas, deseando encontrarse a bordo, cuando pronto notó que en el horizonte se elevaba una difusa columna de humo, y se preguntó qué sería aquel humo que salía del lago de una sola orilla.

El vigía del *Arow* debió observar lo mismo, porque a los pocos minutos Tarzán vio que arriaban las velas. El buque cambió el rumbo para acercarse de nuevo a la costa.

Desde la proa un hombre lanzaba continuamente al mar una piedra atada con una cuerda. Tarzán se preguntó cuál sería la razón de hacer aquello. Finalmente soltaron el ancla y plegaron las velas. Se notaba mucha agitación en cubierta.

Arriaron un bote en el que habían cargado un gran arca. Una docena de marineros se pusieron a los remos y se dirigieron a tierra, directamente hacia el punto en que Tarzán estaba escondido entre las hojas de un árbol.

En la popa del bote Tarzán reconoció al hombre de la cara de rata.

A los pocos minutos el bote varó en la playa. Los hombres desembarcaron y dejaron el arca sobre la arena. Estaban al norte del promontorio, y los de la cabaña no podían verlos.

Discutieron acaloradamente durante un momento. Entonces el de cara de rata, con varios compañeros, subió al pequeño montículo donde estaba el árbol en que se escondía Tarzán. Miraron en derredor durante unos minutos.

"Este es un buen sitio", dijo el de cara de rata, indicando un punto bajo el árbol de Tarzán.

"Es tan bueno como cualquier otro", replicó uno de los marineros: "Si nos cogen con el tesoro a bordo nos lo confiscarán. Será mejor enterrarlo aquí. Si alguno de nosotros tiene la suerte de escapar de la horca podrá venir a buscarlo y disfrutarlo".

El de cara de rata llamó a los hombres que se habían quedado junto al bote, y éstos se acercaron lentamente trayendo picos y palas.

"¡Venga, rápido!", gritó Snipes.

"¡Eh, un momento!", contestó uno de ellos. "¡Que no eres ningún almirante, compañero!"

"Soy el capitán, ¿entiendes, estúpido? ¿Cuántas veces voy a tener que decírtelo?", gritó Snipes y a continuación soltó una sarta de juramentos.

"Calmaros, muchachos", dijo uno de los marineros que no había dicho nada hasta entonces. "El discutir entre nosotros no conduce a ninguna parte".

"Tienes razón", replicó el marinero que había contestado a los modales autoritarios de Snipes, "pero tampoco éste tiene derecho a darse tantos humos".

"Este es el sitio para hacer la excavación", dijo Snipes indicando un lugar bajo el árbol. "Mientras, que Peter dibuje un mapa del lugar, para poderlo localizar cuando volvamos. Tom, vete con otros dos a buscar el cofre".

"¿Qué vas a hacer tú?", preguntó el que se había enfrentado antes a Snipe. "¿Sólo dar órdenes?"

"A moverse", gruñó Snipes. "¿Acaso puede todo un capitán ponerse a trabajar con una pala?

Todos lo miraron con mala cara. A ninguno le gustaba Snipes y menos el talante dictatorial que había adoptado desde que matara a King, el auténtico cabecilla y organizador del motín.

"¿Quieres decir que no vas a coger una pala y echarnos una mano? No estás tan malherido como para no trabajar", dijo Tarrant, el marinero que había hablado al principio.

"No, no voy a hacerlo", repitió Snipes acariciando nerviosamente la culata del revólver.

"Entonces, por todos los infiernos", replicó Tarrant, "si no coges una pala vas a coger un pico".

Y diciendo estas palabras levantó el pico clavándolo en la cabeza de Snipes con un terrible golpe.

Durante un momento todos los hombres permanecieron en silencio mirándose y analizando las consecuencias del malhumor de su compañero. Por fin uno de ellos habló:

"El señor está servido".

Otro de los marineros comenzó a cavar con el pico. Como el suelo era blando dejó el pico a un lado y siguió con la pala; sin decir nada los otros siguieron su ejemplo. Nadie hizo más comentarios sobre el asesinato, pero los hombres trabajaban de mejor humor que cuando Snipes estaba al mando.

Cuando consiguieron una fosa lo suficientemente grande como para enterrar el cofre, Tarrant hizo la sugerencia de ampliarla un poco para enterrar el cuerpo de Snipes encima.

"Con eso podremos despistar a cualquiera si da la casualidad de que alguien llegue a excavar por aquí", explicó.

Los otros comprendieron la idea y ampliaron la fosa para acomodar el cadáver, y en el centro hicieron un agujero más profundo para la caja, la cual envolvieron en un trozo de lona antes de enterrarla. Echaron arena hasta cubrir el arca y dos de los hombres arrastraron el cadáver del marinero con cara de rata y después de despojarlo de las armas y de otros objetos, lo arrojaron en la fosa.

Rellenaron el agujero y lo apisonaron bien con los pies. La tierra sobrante la esparcieron dejando el lugar casi como antes, eliminando toda evidencia de que en aquel lugar se había ocultado algo.

Una vez acabado el trabajo los marineros volvieron al bote y remaron en dirección al *Arrow*.

La brisa había aumentado en intensidad y como la

columna de humo del horizonte era ya perfectamente visible, los amotinados no perdieron tiempo en ponerse en marcha a toda vela en dirección suroeste.

Tarzán, ávido espectador de todo lo ocurrido, estaba sentado inmóvil pensando en el extraño comportamiento de aquellas criaturas.

Había algo indudable, los hombres eran mucho más torpes y crueles que las fieras. Se consideraba afortunado de vivir en la paz y seguridad de su selva.

Se preguntaba cuál sería el contenido de la caja que habían enterrado. No comprendía muy bien aquello, si no la querían, les hubiera sido mucho más cómodo tirarla al mar. Entonces comprendió: sí la querían y la habían escondido para volverla a buscar más tarde.

Tarzán se dejó caer al suelo y empezó a examinar el terreno alrededor de la fosa. Estaba buscando si algo habían dejado olvidado que a él le pudiera interesar. No tardo mucho en descubrir la pala escondida entre unos arbustos.

La cogió y trató de usarla igual que había visto hacer a los marineros. Era un trabajo incómodo y además le lastimaba sus pies descalzos, pero siguió cavando hasta desenterrar el cuerpo.

Después siguió con su trabajo hasta descubrir el arca. La arrastró fuera de la fosa y la puso al lado del cadáver. A continuación rellenó el agujero del cofre, devolvió el cadáver a su lecho, rellenó la zanja cubriéndola con restos de ramas y maleza y dedicó su atención al cofre.

Cuatro marineros se habían tenido que esforzar para cargar con aquel peso, pero Tarzán de los Monos lo levántó como si fuera una caja vacía y colgando con un trozo de cuerda la pala a la espalda, se internó en la zona más densa de la selva.

Con aquella carga no podía andar por los árboles y utilizó los senderos, pero aún así lo hizo con bastante rapidez.

Marchó durante varias horas en dirección nordeste hasta llegar a un muro impenetrable de vegetación entrelazada. Entonces trepó a las ramas más bajas de los árboles y quince minutos más tarde estaba en el anfiteatro donde los grandes monos se reunían en consejo para celebrar los ritos del Dum-Dum.

Se puso a cavar en el centro del claro, al lado del tambor de tierra. Esta operación era más dura que la de excavar tierra recién movida, pero Tarzán no se desanimó y continuó con su trabajo hasta conseguir un agujero lo suficientemente profundo para enterrar el cofre.

¿Por qué había pasado todos aquellos trabajos si desconocía el valor del contenido del arca?

Tarzán de los Monos tenía la figura y el cerebro de un hombre, pero sus costumbres seguían siendo las de un mono. Su cerebro le decía que aquel arca contenía algo de valor, pues si no los hombres no lo hubieran escondido. Su educación y forma de vida le inducía a imitar todo aquello que era nuevo, y su natural curiosidad, cosa que es común a hombres y monos, le empujaba a abrir el arca y examinar su contenido.

Pero el pesado cierre de hierro era demasiado complicado para su inteligencia y demasiado robusto para su colosal fuerza y no le quedó más remedio que enterrar el arca sin saber lo que tenía dentro.

Cuando Tarzán reemprendió su marcha hacia las proximidades de la cabaña, cazando y comiendo sin detenerse ya empezaba a oscurecer.

Dentro de la pequeña construcción había luz, porque Clayton había encontrado un bidón de aceite cerrado durante veinte años y que formaba parte de los suministros que Black Michael había dejado a los Clayton. Las lámparas aún eran utilizables, y el interior de la cabaña se le presentó al asombrado Tarzán tan claro como la luz del día.

Muchas veces se había preguntado cuál sería la utilidad de las lámparas. Por lo que había leído en los libros sabía lo que era, pero no sabía cómo se podía hacer para conseguir que proporcionaran aquella claridad que permitía ver los objetos en la oscuridad.

Al irse acercando hacia la ventana vio que la cabaña había sido dividida en dos compartimentos con un trozo de vela y ramas.

En la parte delantera estaban los tres hombres; los dos más viejos conversaban animadamente y el joven, sentado en una improvisada silla, leía con interés uno de sus libros.

Tarzán no estaba especialmente interesado en los hombres y miró por la otra ventana. Allí estaba la joven. ¡Qué facciones tan delicadas tenía! ¡Qué piel tan blanca y suave!

Estaba escribiendo sentada a la mesa. Sobre una rudimentaria cama de hojas dormía la mujer negra.

Durante más de una hora, Tarzán la miro complacido mientras escribía. Tenía unos deseos enormes de hablar con ella, pero no se atrevía a hacerlo, porque estaba convencido de que, al igual que el hombre joven, tampoco ella lo comprendería y temía asustarla.

Por fin ella se levantó dejando el escrito sobre la mesa. Fue hacia la cama sobre la que habían echado varias capas de hojas y hierbas. Se soltó el suave y rubio cabello que, como una cascada de oro, cayó sobre sus hombros.

El hombre-mono estaba fascinado. Ella apagó la lámpara y la cabaña quedó inmersa en una total oscuridad.

Tarzán siguió vigilando un rato. Se acercó sigiloso hasta la ventana y permaneció a la escucha hasta que oyó el rítmico respirar que acompaña el dormir.

Cautelosamente introdujo su mano por la reja de la ventana y, a tientas, fue recorriendo la tabla de la mesa hasta que tocó el manuscrito de Jane Porter, y con la misma cautela retiró la mano con el preciado papel.

Lo dobló en varias partes y lo guardó en el carcaj con las flechas. Después desapareció en la selva tan rápida y silenciosamente como una sombra.

18. EL TRIBUTO DE LA SELVA

Cuando Tarzán despertó al día siguiente, sus primeros pensamientos, como los últimos del día anterior, se centraron en el preciado manuscrito que guardaba en su carcaj.

Inmediatamente lo cogió esperando sin demasiado convencimiento poder leer lo que la hermosa mujer blanca había escrito. Nunca había deseado nada con tanta vehemencia como poder interpretar el mensaje de aquella diosa de cabello de oro que había aparecido tan inesperadamente en su vida.

¿Qué importancia podía tener que el mensaje no fuera dirigido a él? Eran pensamientos de ella y para Tarzán de los Monos ya era más que suficiente.

Y ahora se veía ante aquellos símbolos extraños, distintos a todo cuanto había visto antes. Eran diferentes de los que había leído en sus libros o en los pocos y difíciles manuscritos de que disponía en la cabaña.

Incluso los diminutos signos del libro negro se le hacía familiares, aun cuando su orden le resultara desconocido e indescifrable. Pero éstos que ahora veía eran algo totalmente nuevos.

Los estuvo mirando durante un rato y entonces le pareció reconocer algo. Sí, allí estaban sus viejos conocidos aunque bastante mal dibujados.

Empezó a distinguir palabras ocasionales aquí y allá. Su corazón saltaba de gozo, sabía que podía leer aquello e iba a hacerlo.

Horas más tarde el progreso era más rápido y con excepción de alguna palabra la lectura le resulto relativamente fácil. El escrito decía lo siguiente:

COSTA OCCIDENTAL DE AFRICA, A UNOS 10° DE *LATITUD SUR (es lo que dice Mr. Clayton).*
3 de Febrero (?) de 1909

Queridísima Hazel:

Quizás sea una tontería escribir una carta que probablemente nunca llegará a tu poder, pero siento la necesidad de contarle a alguien nuestra desgraciada aventura desde que abandonamos Europa a bordo del malhadado Arrow.

Si no volvemos a la civilización, como parece probable, quiero dejar constancia en este breve relato de la serie de circunstancias que causaron nuestro destino final, cualquiera que éste sea.

Como bien sabes, se suponía que estábamos embarcados en una expedición científica al Congo. Se decía que papá tenía alguna extraña teoría sobre una antiquísima civilización cuyos restos yacían enterrados en algún lugar perdido del valle del Congo. Pero casi a mitad de nuestra singladura conocimos el verdadero motivo del viaje.

Parece ser que un viejo bibliófilo que tiene una tienda de libros antiguos y curiosidades, en Baltimore, descubrió entre las páginas de un antiguo manuscrito español una carta escrita en 1550 describiendo los avatares de una tripulación de amotinados de un galeón español que se dirigía de España a Sudamérica con un tesoro de doblones y piezas de a ocho, posiblemente producto de la piratería.

El que escribía la carta había formado parte de la tripulación y la dirigía a su hijo, que en esa época era dueño de un buque mercante.

Habían pasado muchos años desde los acontecimientos relatados en la carta, y el viejo se había convertido en un ciudadano respetable de una pequeña ciudad española, pero el amor al dinero todavía era en él tan fuerte que lo había arriesgado todo para informar a su hijo de la forma de apoderarse de aquella fabulosa fortuna.

El autor de la carta cuenta cómo la tripulación se amotinó y mataron a todos los oficiales y a cuantos hombres se les opusieron, pero con esto también se cortaron toda posibilidad de salvación porque no quedaba a bor-

do nadie que supiera manejar el barco.

Anduvieron a la deriva zarandeados por el mar durante dos meses, hasta que enfermos y muriendo de escorbuto, hambre y sed, naufragaron en una pequeña isla. El galeón fue levantado por el furioso oleaje y destrozado contra la playa, pero los supervivientes, unos diez marineros, pudieron rescatar uno de los cofres del tesoro.

Enterraron el cofre en la isla y durante tres años vivieron con la constante esperanza de ser rescatados. Pero poco a poco todos fueron enfermando y pereciendo, hasta que no quedó más que un solo hombre, el autor de la carta.

Habían construido un bote con los restos del naufragio del galeón, pero al desconocer la situación de la isla no se habían atrevido a hacerse a la mar. La terrible situación de soledad se hizo tan insoportable para aquel único superviviente que decidió arriesgarse a morir en el océano antes que volverse completamente loco en aquella solitaria isla y se hizo a la mar en el pequeño bote, casi un año después de haberse quedado solo.

Afortunadamente navegó en dirección norte y a la semana estaba en la ruta de los veleros mercantes españoles que hacían la travesía entre España y las Indias Occidentales y fue recogido por uno de los barcos que se dirigían a la patria. Cuando le preguntaron contó la historia de un naufragio en la que murieron casi todos los tripulantes; excepto él y otros cuantos que después fueron sucumbiendo poco a poco en la isla. No hizo mención del motín ni del tesoro enterrado.

El capitán del barco le dijo que según la posición en que se encontraba cuando lo recogieron y según los vientos reinantes durante la semana anterior al salvamento, la isla donde habían naufragado tenía que ser una del archipielago de Cabo Verde, cercano a la costa occidental de Africa, entre los 16° y 17° de latitud norte.

Su carta, que describía la isla minuciosamente, iba acompañada de un tosco mapa; marcando con una X los árboles y rocas en torno al lugar exacto en que había sido enterrado el tesoro.

Cuando papá nos explicó el motivo real de la expedición, se me encogió el corazón, porque sé perfectamente lo visionario que es y lo poco que vale para cuestiones prácticas y temía que lo hubiesen engañado de nuevo, especialmente cuando me dijo que había pagado mil dólares por la carta y el mapa.

Y para colmo me enteré de que había pedido prestados diez mil dólares y que había firmado unos recibos por el total.

Mr. Canler no le pidió garantías y tú sabes, querida, lo que eso puede significar para mí. ¡Odio a ese hombre!

Todos intentábamos ver el lado amable de las cosas, pero Mr. Philander y Mr. Clayton, que se había unido a nosotros en Londres, se sentían tan excépticos como yo.

Bueno, para abreviar, te diré que encontramos la isla y el tesoro —un gran cofre de madera de roble con refuerzos de hierro, envuelto en varias lonas enceradas, y en tan buen estado como el día que lo enterraron, hace más de trescientos años.

Estaba totalmente repleto de monedas de oro y era tan pesado que a duras penas podían transportarlo cuatro hombres.

Aquella horrible cosa parece que no podía acarrear más que muerte y desgracia a todos los que de algún modo se relacionaban con ella, porque tres días después, de partir de las islas de Cabo Verde, nuestra tripulación se amotinó matando a todos los oficiales.

¡Oh, fue una experiencia terrible. Tiemblo sólo de pensar en aquello.

También querían deshacerse de nosotros, pero el cabecilla, un tipo llamado King, no les dejó y entonces pusieron rumbo al sur bordeando la costa hasta que encontraron una especie de puerto natural y en ese lugar nos desembarcaron dejándonos abandonados.

Se hicieron a la mar con el tesoro esta mañana, pero Mr. Clayton dice que les aguarda un destino similar al de los amotinados del antiguo galeón, porque King era el único de ellos que sabía navegar y lo asesinaron en la misma playa en que nos desembarcaron.

Me hubiera gustado que conocieras a Mr. Clayton, es un hombre encantador y tengo la impresión de que se ha enamorado de mí.

Es hijo único de Lord Greystoke y un día heredará el título y los bienes. Pero además tiene una considerable fortuna por sí mismo; lo único que siento es que va a ser un lord inglés y ya conoces mis sentimientos hacia las jóvenes americanas que se casan con aristócratas extranjeros. Es una lástima que no sea un simple caballero americano.

Pero el pobre no tiene la culpa de eso, y si no fuera a causa de su origen noble, podría pasar tranquilamente por americano y tú sabes que es el mejor cumplido que me puede merecer un hombre.

Tuvimos unas experiencias horribles desde que estamos aquí. Papa y Mr. Philander se perdieron en la selva y fueron perseguidos por un león.

Mr. Clayton también se perdió y fue atacado por fieras salvajes en dos ocasiones. Esmeralda y yo fuimos acosadas en una pequeña cabaña por una enorme leona hambrienta. Fue algo "aterrante", como diría Esmeralda.

Pero lo más extraño de todo es la enigmática criatura que nos salvó. Yo no lo he visto, pero Mr. Clayton, papá y Mr. Philander sí, y dicen que tiene la apariencia de un dios de piel bronceada, con la fuerza de un elefante salvaje, la agilidad de un mono y la bravura de un león.

No habla inglés y desaparece inmediatamente después de haber realizado algún acto heroico, tan misteriosa y silenciosamente como un espíritu incorpóreo.

También tenemos otro vecino que escribió una nota en inglés y la puso en la puerta de su cabaña, en la que nos hemos establecido, avisándonos de que nos abstuviéramos de deteriorar sus pertenencias. Firmaba con el nombre de "Tarzán de los Monos".

Nunca le hemos visto, aunque sabemos que anda por los alrededores, porque una lanza procedente de un lugar oculto en la selva atravesó el hombro de uno de los amotinados cuando iba a disparar por la espalda sobre Mr. Clayton.

Los marineros nos dejaron muy pocas provisiones y como no disponemos más que de un revólver con tres cartuchos, no sabemos cómo vamos a hacer para procurarnos alimentos, aunque Mr. Philander dice que podemos sobrevivir indefinidamente comiendo los frutos silvestres que abundan en la selva.

Ahora estoy agotada y voy a acostarme en la tosca cama de hojas que Mr. Clayton me ha preparado para mí, pero seguiré escribiendo y contando lo que nos vaya sucediendo.

Con cariño,
Jane Porter.

Después de acabar la lectura, Tarzán se quedó pensativo durante un largo rato. Había aprendido tantas cosas que tenía la cabeza hecha un lío y estaba tratando de digerirlas.

¡Así que no sabían que él era Tarzán de los Monos! Tenía que decírselo.

En su árbol había construido un rudimentario refugio con hojas y ramas, en él guardaba, bien protegidos de la lluvia, algunos de los tesoros de su cabaña. Entre ellos había algunos lápices.

Cogió uno y, debajo de la firma de Jane Porter, escribió:

Yo soy Tarzán de los Monos

Le pareció que aquello sería suficiente. Ya devolvería la carta a la cabaña.

No tendrían que preocuparse por la comida, él se ocuparía de procurársela.

A la mañana siguiente Jane encontró la carta perdida en el lugar exacto en que había desaparecido hacía dos noches. Estaba intrigadísima; cuando vio lo que había escrito debajo de su firma se estremeció. Le mostró esa hoja a Clayton.

"Pensar que esa misteriosa cosa me estuvo observando mientras escribía me da escalofríos".

"Sin embargo parece amigo", dijo Clayton, "porque le ha devuelto la carta sin molestarla ni hacerle daño, y o mucho me equivoco o acaba de hacernos otra demostración de su amistad, porque la noche pasada dejó un jabalí delante de la puerta de la cabaña".

Desde ese día dejaba casi a diario suficiente comida para los habitantes de la cabaña. Algunas veces era un pequeño venado, otras veces eran extraños bollos que robaba en el poblado de Mbonga, o un jabalí, e incluso en una ocasión un leopardo y otra vez un león.

A Tarzán le causaba un gran placer el cazar para aquellos extranjeros. Tenía la impresión de que no había mayor placer en la vida que el preocuparse por el bienestar y la protección de la hermosa muchacha blanca.

Un día se atrevería a presentarse en el improvisado campamento a plena luz del día y hablaría con aquella gente por medio de los pequeños insectos que Tarzán y ellos conocían.

Pero le resultaba difícil desembarazarse de su primitiva timidez y los días pasaron sin que lograra atreverse a hacer lo que tanto deseaba.

El grupo del campamento se iba familiarizando con el lugar y cada vez se internaba más en la selva en busca de frutos silvestres.

Era raro el día en que Tarzán no encontraba al Profesor Porter caminando con despreocupada indiferencia hacia las garras de la muerte. Mr. Samuel T. Philander nunca había sido muy robusto, pero ahora era una sombra de sí mismo, debido a los enormes esfuerzos que tenía que hacer continuamente, tanto mentales como físicos, para ocuparse del Profesor.

Ya había pasado un mes y Tarzán se había decidido a visitar a los nuevos moradores de su cabaña.

Eran las primeras horas de la tarde, Clayton como todos los días, se había acercado hasta la entrada de la bahía con la esperanza de ver algún barco. Allí tenía una gran pira de ramas y hojas, listas para prenderle fuego si divisaba alguno.

El Profesor Porter paseaba por la playa en dirección al sur, seguido de Mr. Philander que le decía que era mejor regresar a la cabaña antes de volver a ser objeto de la persecución de alguna fiera salvaje.

Jane y Esmeralda se habían internado en la selva para buscar fruta, y sin darse cuenta se alejaron más de lo normal.

Tarzán esperaba silencioso, delante de la puerta de la pequeña casita, a que volvieran. Sus pensamientos estaban fijos en la joven blanca. Ahora ya no pensaba en otra cosa. Se preguntaba si ella se asustaría ante su presencia y esa idea casi le hizo desistir de su propósito y marcharse de allí.

Su tardanza empezaba a impacientarlo. ¡Pensar que podría verla de cerca y quizás incluso tocarla! El hombre-mono desconocía la idea de Dios, pero estaba casi a punto de adorar a aquella divinidad.

Decidió escribir un mensaje dirigido a ella, y aunque no estaba muy seguro de si se atrevería a dárselo, le causaba un inmenso placer poner sus pensamientos por escrito. En ese sentido no estaba tan incivilizado. Escribió:

Yo soy Tarzán de los Monos. Te quiero para mí. Yo soy tuyo. Tú eres mía. Vamos a vivir para siempre aquí en mi casa. Te traeré la mejor fruta, los más deliciosos venados y la carne más tierna que hay en la selva. Cazaré para ti. Soy el más grande de los luchadores de la selva. Lucharé por ti. Soy el más poderoso de toda la selva. Tú eres Jane Porter, lo vi en tu carta. Cuando veas esto sabrás que es para tí y que Tarzán de los Monos te ama.

Mientras estaba delante de la puerta escribiendo el mensaje, su finísimo oído percibió un ruido familiar. Era el paso de uno de los grandes monos por las ramas bajas de los árboles.

Se quedó escuchando atentamente y a sus oídos llegó el grito aterrorizado de una mujer. Tarzán de los Monos tiró su primera carta de amor y salió disparado hacia la selva como una pantera.

Clayton también oyó el grito, y junto al Profesor Porter y Mr. Philander en pocos minutos entraron jadeantes en la cabaña haciéndose unos a otros la misma pregunta. Un rápido vistazo les confirmó lo que temían.

Jane y Esmeralda no estaban allí.

Inmediatamente Clayton y los dos ancianos se fueron hacia la selva llamando a gritos a la joven. Siguieron andando penosamente durante media hora y Clayton, por pura casualidad, tropezó con el cuerpo caído de Esmeralda.

Echándose al lado de la mujer le tomó el pulso y después trató de oír los latidos de su corazón. Vivía. La sacudió para reanimarla.

"¡Esmeralda!", gritó al oído. "¡Esmeralda! ¡Por el amor de Dios! ¿Dónde está Miss Porter? ¿Qué ha sucedido? ¡Esmeralda!"

Esmeralda abrió los ojos lentamente. Vio a Clayton. Vio la selva a su alrededor.

"¡Oh, Dios mío!", exclamó y volvió a perder el conocimiento.

En ese momento llegaron el Profesor Porter y Mr. Philander.

"¿Qué podemos hacer, Mr. Clayton?", preguntó el viejo Profesor. "¿Cómo podremos encontrarla? Dios no puede ser tan cruel como para privarme también de mi pequeña Jane".

"Primero tenemos que tratar de reanimar a Esmeralda", replicó Clayton. "Ella nos dirá lo que ha sucedido. ¡Esmeralda!", gritó, sacudiéndola por los hombros.

"¡Oh, Dios mío, quiero morir!", sollozó la pobre mujer sin atreverse a abrir los ojos. "Déjame morir, Señor, antes que volver a ver esa horrible cara".

"Vamos, vamos, Esmeralda", le consoló Clayton. "El Señor no está aquí, solamente es Mr. Clayton. Abre los ojos".

Esmeralda hizo lo que le decían.

"¡Oh, Dios mío! ¡Gracias, Dios mío!, repitió".

"¿Dónde está Miss Porter? ¿Qué ha sucedido?", interrogó Clayton.

"¿No está aquí, Miss Jane?", exclamó alarmada Esmeralda, sentándose con una rapidez increíble para una persona con su corpulencia. "¡Oh, Dios, ahora lo recuerdo! Aquello debió de llevársela", y la mujer prorrumpió en llanto y lamentaciones.

"¿Qué es lo que se la llevó?", preguntó angustiado el Profesor Porter.

"Un gran hombre gigante todo cubierto de pelo".

"¿Fue un gorila, Esmeralda?", preguntó Mr. Philander, y los tres hombres quedaron casi paralizados ante aquella horrible posibilidad.

"Yo creí que era el mismo demonio, pero sí, supongo que debió de ser uno de esos terribles gorilas. ¡Oh, mi niña, mi pobre pequeña!", dijo Esmeralda sin poder contener el llanto.

Clayton se puso enseguida a buscar posibles huellas, pero no encontró ninguna, salvo un espacio en el que la hierba estaba pisoteada, pero su desconocimiento de la selva era total y se sintió incapaz de poder descifrar aquel laberinto de pisadas.

Se pasaron el resto del día buscando, pero al ir disminuyendo la luz tuvieron que abandonar desesperados e impotentes, porque ni tan siquiera sabían en qué dirección aquel diabólico ser se había llevado a Jane.

Cuando llegaron a la cabaña la oscuridad era ya total. La escena que componía el desolado y silencioso grupo dentro del pequeño recinto era patética.

Por fin el Profesor Porter rompió el silencio. Su tono ya no era el del pedante erudito teorizando sobre temas abstractos y complejos, sino el de un hombre de acción, lleno de determinación, pero al mismo tiempo con una nota de impotencia y tristeza que hizo que a Clayton se le pusiera un nudo en la garganta.

"Voy a acostarme", dijo el anciano, "para tratar de dormir. Mañana, tan pronto como amanezca, cogeré algunas provisiones y proseguiré la búsqueda hasta encontrar a Jane. No volveré sin ella".

Sus compañeros no dijeron nada. Estaban sumidos

en sus tristes pensamientos y todos sabían, como también lo sabía el viejo Profesor, lo que sus últimas palabras significaban. El Profesor Porter no volvería de la selva.

Al cabo de un rato Clayton se puso en pie y apoyando suavemente una mano en el hombro del anciano científico, le dijo:

"Yo iré con usted".

"Sabía que se ofrecería, porque sé que desea venir, Mr. Clayton; pero no debe hacerlo. Jane ya está fuera de toda posibilidad de ayuda humana, pero no quiero que reposen solos y abandonados en esta horrible selva los restos de la que un día fue mi querida hija. Las mismas hojas y la misma hierba cubrirá nuestros cuerpos; y cuando el espíritu de su madre nos reciba en el más allá, nos recibirá tan unidos como lo hemos estado en vida. No, iré yo solo, porque era mi hija y porque era el único cariño que me quedaba en esta vida".

"Yo iré con usted", volvió a decir sencillamente Clayton.

El anciano levantó los ojos y observó atentamente el rostro enérgico y noble de William Cecil Clayton. Quizás lo que leyó en él fue el amor que se ocultaba detrás: el amor de Clayton por su hija.

Había estado demasiado ocupado con sus pensamientos académicos como para poder percibir los pequeños detalles y las palabras ocasionales que hubieran indicado a una persona más cercana a la realidad que aquellos dos jóvenes se sentían atraídos el uno por el otro. Ahora lo veía claramente.

"Como desee", dijo.

"¡También puede contar conmigo!" exclamó Mr. Philander.

"No, mi querido y viejo amigo", respondió el Profesor Porter. "No podemos ir todos. Sería una crueldad dejar abandonada a su suerte a la pobre Esmeralda, y tres no seremos más efectivos que dos. Ya hay demasiadas cosas muertas en esta implacable selva, no aumentemos el número. Vamos a tratar de dormir un poco".

19 LA LLAMADA DE LO PRIMITIVO

Desde que Tarzán abandonara la tribu de los grandes antropoides en la que se había criado, la vida de ésta se fue deteriorando por las continuas rencillas y peleas entre sus miembros. Como jefe, Terkoz se comportaba cruel y caprichosamente y poco a poco muchos de los monos más viejos y débiles, que eran los más expuestos a su naturaleza brutal, fueron emigrando con sus familias hacia otras zonas de la selva más seguras y tranquilas.

Pero llegó un momento en que los que se habían quedado llegaron casi a la desesperación y entonces uno de ellos recordó algo que Tarzán les había dicho antes de partir:

"Si alguna vez tenéis un jefe que se comporta con crueldad, no le ataquéis individualmente, como hacen los otros monos. Debéis juntaros dos, tres o cuatro. Si hacéis eso, ningún jefe se atreverá a ser injusto, porque, por fuerte que sea, nada podrá contra cuatro grandes machos".

Y el mono que recordó este consejo de Tarzán se lo repitió a varios de sus compañeros, de forma que cuando un día Terkoz regresó a la tribu se encontró con un caluroso recibimiento.

No hubo formalidades. Tan pronto como Terkoz se acercó al grupo, cinco de aquellas enormes bestias se abalanzaron sobre él.

En el fondo era un cobarde, que es en realidad lo que son todos los matones, sean hombres o monos; por lo que, en vez de luchar hasta la muerte, tan pronto como se pudo librar de sus atacantes escapó a esconderse en el interior de la selva.

Había intentado volver a la tribu en otras dos ocasiones pero en ambos casos se vió obligado a huir. No tuvo más remedio que, lleno de rabia y odio, hacer vida solitaria en la selva.

Durante varios días vagó al azar, rumiando su despecho y buscando alguna criatura más débil en quien descargar su ira.

Este era el estado de ánimo en que se encontraba aquel bestial y horrible homínido, cuando divisó a las dos mujeres.

Estaba justo encima de ellas. La primera noticia que Jane Porter tuvo de su presencia fue en el momento que el gran cuerpo peludo se dejó caer a su lado desde el árbol, y vió la terrible cara y la temible dentadura a unos centímetros de ella.

La mano del bruto la cogió por el brazo y un grito de pánico salió de los labios de la joven. Ya se iban a clavar los fieros colmillos en la blanca y tersa piel del cuello cuando, de pronto, el antropoide cambió de opinión.

Sus hembras se habían quedado en la tribu. Tenía que encontrar otras para reemplazarlas y aquella mona blanca podía ser la primera de su harén. Entonces la cargó sobre sus poderosos y peludos hombros y se volvió a los árboles llevándose a Jane.

El grito aterrorizado de Esmeralda se mezcló con el de Jane y a continuación la pobre mujer perdió el conocimiento.

Jane no perdió el sentido. Estaba paralizada por el miedo, con aquella horrible cara cerca de la suya y recibiendo el fétido aliento de la bestia en su delicada nariz, pero su cerebro estaba totalmente consciente y comprendía lo desesperado de su situación. Con increíble rapidez, el bruto la transportó a través de las ramas adentrándose más y más en la impenetrable selva.

El mismo grito que había llamado la atención de Clayton y de los dos ancianos haciéndolos internarse a trompicones en la selva, también había servido a Tarzán para orientarse y llegar directamente al lugar donde yacía Esmeralda, pero como no era ella el centro de sus preocupaciones, después de ver que la mujer no estaba herida, se puso a examinar el suelo desde la altura de las ramas. Su educación entre los monos y su inteligencia humana, le informaron tan claramente de lo que había sucedido como si leyera un libro.

Se volvió a los árboles siguiendo las huellas de una senda que ningún otro humano podría transitar, aún en el improbable caso de poder interpretar los imperceptibles indicios.

En los extremos de las ramas es donde mejor se nota si algo ha pasado por el árbol, pero no la dirección que ese algo lleva, porque la presión siempre es hacia abajo, hacia el extremo exterior de la rama, tanto si el mono llega al árbol como si parte de él. Hacía el centro de la rama, la huella es más débil, pero la dirección es más evidente.

En esta rama, el gran pie del simio aplastó una oruga y Tarzán supo instintivamente donde dio el siguiente salto.

Más adelante, una ínfima parte de la corteza de la rama fue arañada por una mano, y la dirección del arañazo indica el camino seguido. O quizás el cuerpo ha rozado contra alguna pequeña rama dejando un casi invisible mechón de pelo informando del paso del velludo animal.

No necesitaba ni siquiera disminuir la velocidad de su carrera, para percibir la débil pista dejada por el homínido. Estaba clarísima entre los cientos de pequeñas marcas y roces dejados en las ramas por otros seres o causas naturales.

Pero lo más importante es el olor, para el increíble olfato animal de Tarzán el rastro olfativo dejado por su antagonista era tan seguro como un mapa de carreteras.

Hay quien cree que las especies animales inferiores están dotadas por la naturaleza de un sentido del olfato superior al del hombre, pero la realidad es que se trata tan sólo de una cuestión de adiestramiento.

La supervivencia del hombre no depende más que en grado ínfimo de la perfección de sus sentidos. Su capacidad de razonamiento y su inteligencia substituyen perfectamente la imperfección sensorial y por eso los sentidos se han atrofiado en gran medida, como ocurre con los músculos que mueven la piel y las orejas, debido al desuso.

Los músculos de las orejas y de la piel siguen en su sitio, al igual que los nervios que transmiten las sensaciones al cerebro, pero están subdesarrollados porque no son necesarios.

Pero ese no era el caso de Tarzán de los Monos. Desde la infancia, su supervivencia había dependido más de la agudeza de la vista, del oído, del olfato y del tacto que del entendimiento.

El menos desarrollado de los órganos de Tarzán era el sentido del gusto, porque podía comer con el mismo placer frutas exquisitas o carne que llevaba largo tiempo enterrada, pero en eso se diferenciaba poco de los modernos y civilizados epicúreos.

Tarzán perseguía a Terkoz sin hacer un ruido, pero el ligero murmullo de sus movimientos pronto fue percibido por la fugitiva bestia que aumentó su velocidad.

Antes de que Tarzán los alcanzara recorrieron unos cinco kilómetros y entonces Terkoz, viendo que era inútil seguir escapando se dejó caer al suelo en un pequeño claro que le permitiría luchar para conservar su presa o escapar si veía que su perseguidor era más fuerte que él.

Cuando Tarzán descendió a aquella especie de arena, el mono aún tenía cogida de un brazo a Jane, y se preparaba para la salvaje pelea.

Al ver que su perseguidor era Tarzán, Terkoz llegó a la conclusión de que aquella era su hembra, pues ambos eran de la misma especie —blancos y sin pelo— y se alegró de la oportunidad que se le presentaba de vengarse de su odiado enemigo.

Para Jane la aparición de aquel hombre hermoso como un dios fue una inyección de esperanza.

Por lo que había oído contar a Clayton, a su padre y a Mr. Philander, sabía que aquel hombre era la extraordinaria criatura que los había salvado a ellos y veía en él a un protector y a un amigo.

Pero cuando Terkoz la arrojó a un lado para enfrentarse a Tarzán, y vió las colosales proporciones del mono y sus siniestros colmillos su corazón se estremeció. ¿Cómo podía nadie vencer a aquel poderoso enemigo?

Con inhumano ímpetu los dos seres se atacaron tratando como lobos hambrientos de hacer presa en las respectivas gargantas. Contra los temibles colmillos del mono, Tarzán oponía la larga y afilada hoja de su cuchillo.

Jane recostada en un árbol, con las manos cubriendo su agitado pecho y el horror pintado en sus ojos, veía el primitivo combate con una mezcla de fascinación, miedo y admiración. El primate y el hombre primigenio luchaban por la posesión de una hembra que era ella misma.

El espectáculo de los acerados músculos de la espalda del hombre, tensándose y aumentando de tamaño por el esfuerzo de mantener alejados los afilados colmillos, hizo que aquella joven de Baltimore olvidara los siglos de civilización y cultura que respaldaban su moderna educación.

El cuchillo de Tarzán bebió una docena de veces la sangre del corazón de Terkoz antes de que el bruto rodara sin vida. El ser que se abalanzó sobre Tarzán con los brazos abiertos era una mujer primitiva que se entregaba al luchador que la había ganado.

¿Qué hizo Tarzán?

Lo que haría cualquier otro hombre normal en su caso. Cogió a la mujer entre sus brazos y la llenó de besos y caricias.

Durante un rato Jane permaneció en aquella postura con los ojos cerrados. En aquel momento, y por primera vez en su vida, supo lo que era el amor.

Pero tan pronto como cobró consciencia de la realidad, sus mejillas enrojecieron y avergonzada de su impulsiva reacción se liberó bruscamente del abrazo escondiendo la cara entre las manos.

En un principio Tarzán se había sorprendido gratamente al ver entre sus brazos a la mujer que había llegado a amar. Ahora se sorprendía al ser rechazado.

Se aproximó a ella otra vez y la cogió por un brazo. Ella se revolvió como una tigresa y empezó a golpear el amplio pecho con sus delicadas manos.

Tarzán no podía comprenderlo.

Unos segundos antes había pensado en llevar a Jane con su gente, pero ese momento ya formaba parte de un lejano pasado, entre las cosas que ya no pueden volver a suceder y sus buenas intenciones primeras se habían convertido en un imposible.

Desde que Tarzán de los Monos había sentido contra su pecho la suave y cálida forma de aquel cuerpo y la dulce y perfecta boca apretada contra la suya en invitadores y apasionados besos, su corazón había quedado marcado profundamente convirtiéndolo en un nueva persona.

Volvió a posar la mano en el brazo de ella y fue rechazado de nuevo. Entonces Tarzán de los Monos hizo lo mismo que hubiera hecho cualquiera de nuestros prehistóricos antepasados.

Cogió a la mujer en sus brazos y se fue a otro lugar de la jungla.

Al día siguiente por la mañana, los cuatro de la cabaña se despertaron al oír un cañonazo. Clayton fué el primero en salir y a la entrada de la pequeña ensenada vió dos barcos anclados.

Uno de ellos era el *Arrow* y el otro era un pequeño crucero de guerra francés. En la cubierta de este último se veía gran actividad. Clayton y los otros comprendieron enseguida que el cañonazo había sido disparado para llamar su atención en caso de que aún se encontraran en la cabaña.

Ambos barcos estaban a bastante distancia de la costa y no era seguro que los vigías pudieran ver las señas que hacían los componentes del pequeño grupo en la distante playa.

Esmeralda se había desprendido de su delantal rojo y lo agitaba excitada; pero Clayton, temiendo que no pudieran verlo, corrió al lugar donde había preparado la pira para prenderla fuego. Le pareció que tardaba una eternidad en llegar a la gran pila de ramas y hojarasca.

Cuando por fin llegó, vio consternado que el *Arrow* estaba desplegando velas y que el buque de guerra ya estaba en movimiento.

Rápidamente prendió fuego a la pira por varios sitios y quitándose la camisa se subió a la parte más alta del promontorio y empezó a hacer señales desesperadamente.

Pero los barcos continuaron su marcha mar adentro, y ya había abandonado toda esperanza, cuando la espesa columna de humo que salía de la hoguera fue vista por uno de los vigías del crucero e instantáneamente varios catalejos y prismáticos se pusieron a otear la playa.

Clayton vio aliviado como los dos barcos invertían el rumbo. El *Arrow* quedó fondeando y el crucero se dirigió lentamente hacia la costa.

Fondeó en medio de la ensenada y fue arriado un bote que puso dirección a la playa.

Cuando la pequeña embarcación varó en la arena, descendió un joven oficial.

"Me imagino que usted es Monsieur Clayton", dijo.

"¡Gracias a Dios que han venido!" fue la respuesta de Clayton. "Quizás aún lleguemos a tiempo".

"¿Qué quiere decir, Monsieur?", preguntó el oficial.

Clayton contó lo del rapto de Jane Porter y la necesidad de disponer de hombres armados para ir en busca de la joven.

"¡Mon Dieu!", exclamó el oficial, apenado. "Ayer hubiéramos llegado a tiempo, y hoy quizás sea mejor no encontrar a la infortunada joven. ¡Es horrible, Monsieur! ¡Es horrible!"

Procedentes del barco se acercaban más botes y Clayton, señalando en dirección al punto de la playa donde se encontraba la cabaña subió al bote con el oficial y se dirigieron al lugar señalado, siendo seguidos por las otras embarcaciones.

No tardaron en desembarcar donde estaban el Profesor Porter, Mr. Philander y la abatida Esmeralda.

Entre los oficiales que habían desembarcado se encontraba el capitán del crucero, el cual al conocer la desaparición de Jane, pidió voluntarios entre la marinería para acompañar al Profesor Porter y a Clayton en la búsqueda.

No hubo ni un solo marinero ni oficial de aquella valerosa y disciplinada tripulación francesa que no solicitara permiso para sumarse a la expedición.

El capitán seleccionó veinte hombres y dos oficiales, el teniente D'Arnot y el teniente Charpentier. Y se envió un bote hasta el crucero para aprovisionarse de fusiles y munición, pues los hombres habían desembarcado armados tan sólo de revólveres.

Cuando Clayton les preguntó el motivo de haber anclado a la entrada de la pequeña bahía y disparar el cañonazo, el capitán Dufranne, comandante del barco, le contó que hacía aproximadamente un mes habían avistado al *Arrow* navegando con bastante vela en dirección al suroeste, y al hacerle señales de que se detuviera, el *Arrow* en vez de hacer caso había desplegado todas las velas.

Lo habían perseguido hasta el amanecer haciendo varios disparos intimidatorios, pero a la mañana siguiente había desaparecido. Patrullaron la costa durante varias semanas y cuando ya casi habían olvidado el incidente, una mañana temprano, pocos días antes, el vigía divisó un velero que, por la forma en que lo zarandeaba el mar, parecía andar a la deriva.

Al acercarse al barco vieron con sorpresa que se trataba del mismo que se los había escapado hacía unas semanas. El estay del trinquete y la cangreja de mesana habían sido desplegadas en un intento de mantener el barco derecho contra el viento, pero las lonas estaban rasgadas y hechas jirones a causa de la fuerza de la galerna.

En medio de aquel temporal, el acercarse al velero suponía una operación difícil y arriesgada, y como no habían visto señales de vida a bordo decidieron permanecer a cierta distancia hasta que amainara; pero entonces vieron una figura en cubierta que les hacía señas desesperadas.

Inmediatamente arriaron un bote y consiguieron abordar el *Arrow*.

El panorama que se ofreció a la vista de los franceses al subir a bordo fue desolador.

Una docena de cuerpos, muertos y moribundos, rodaban por cubierta sacudidos por los bandazos del fuerte oleaje. Dos de los cadáveres parecían haber sido devorados por los lobos.

La tripulación de rescate consiguió poner en condiciones de navegar al velero y llevaron a sus literas a los debilitados supervivientes.

Los muertos fueron envueltos en lonas y alineados en cubierta para ser identificados por sus compañeros antes de echarlos al mar.

Ninguno de los supervivientes estaba consciente cuando los franceses subieron a bordo del *Arrow*. Incluso el pobre infeliz que había hecho las señas había perdido el conocimiento antes de saber si habían sido rescatados.

El oficial francés comprendió enseguida el motivo de aquel estado de depauperación en que se encontraba la tripulación, porque cuando buscaron agua y brandy para reanimar a los hombres no lo encontraron por ninguna parte, ni siquiera disponían de alimentos.

Inmediatamente hizo señales al crucero para que les enviaran agua, medicinas y provisiones, y otro bote tuvo que hacer la peligrosa travesía hasta el *Arrow*.

Después de las atenciones, varios de los hombres recobraron el conocimiento y contaron lo sucedido. Toda la parte que conocemos desde la partida del *Arrow*, después de la muerte de Snipes y del entierro de su cuerpo encima del cofre del tesoro.

Parece ser que, al ser perseguidos por el crucero, los amotinados se asustaron y navegaron mar adentro durante varios días, pero al descubrir el escaso suministro de agua y provisiones de que disponían invirtieron el rumbo hacia el este.

Al no haber nadie a bordo que conociera el arte de la navegación, pronto empezaron las discusiones y las dudas sobre su situación; a los tres días de navegar hacia el este todavía no habían avistado tierra y cambiaron rumbo al norte, temiendo que los vientos predominantes los hubieran desviado hacia el sur.

Siguieron navegando con rumbo norte-nordeste durante dos días, y entonces sobrevino una calma chicha que duró casi una semana. El agua se había agotado y no quedaba comida más que para otro día.

La situación fue de mal en peor. Un hombre se volvió loco y se arrojó por la borda. Otro se abrió las venas y bebió su propia sangre. Cuando murió también fue arrojado por la borda, aunque había algunos que querían conservar el cadáver a bordo. El hambre los estaba convirtiendo en animales salvajes.

Dos días antes de ser recogidos por el crucero ya estaban demasiado débiles para manejar el velero y en ese día murieron tres hombres. A la mañana siguiente uno de los cadáveres había sido devorado parcialmente.

Desde aquel momento los hombres se miraban desconfiados como animales acorralados y al otro día por la mañana dos de los cadáveres habían sido prácticamente despojados de carne.

Los hombres no habían recuperado muchas fuerzas, por que la falta de agua era lo que hacía más desesperada su situación. Fué entonces cuando apareció el crucero.

Esta es la historia que contaron al capitán del buque francés pero aquellos hombres fueron incapaces de informar del punto exacto en que habían abandonado al Profesor y a sus acompañantes, por eso el crucero había tenido que bordear con catalejos y prismáticos todas las playas que divisaban.

Anclaban por la noche, para no perder de vista ninguna playa del litoral, y casualmente eso era lo que los había llevado hasta aquella pequeña ensenada.

Los cañonazos de la tarde anterior no habían sido oídos por los de la cabaña. Seguramente a causa de que estaban en la selva buscando a Jane Porter y entre los continuos ruídos de la selva y su propia agitación habían apagado el lejano ruído del cañón.

Cuando ambas partes concluyeron sus respectivos relatos, el bote que había ido en busca de armas ya estaba de vuelta en la playa.

A los pocos minutos la pequeña patrulla de marineros con sus dos oficiales al frente y acompañados del Profesor Porter y Mr. Clayton, se puso en marcha, en un desesperado e inútil intento de encontrar a Jane en el insondable laberinto de la selva.

20. HERENCIA

Cuando Jane comprendió que la extraña criatura arborícola después de haberla salvado de las garras del mono se la llevaba prisionera al interior de la selva, empezó a forcejear desesperadamente para liberarse, pero lo único que consiguió fue que el poderoso brazo que la sujetaba como si fuera un recién nacido se ciñera aún más en torno a su cintura.

Entonces se dio cuenta de que nada podía hacer y cesó en sus esfuerzos. Por el rabillo del ojo iba observando la cara de aquel hombre que se movía con tanta facilidad por entre la jungla.

Le sorprendió la viril hermosura de aquellas facciones.

Eran unos rasgos fuertemente masculinos, no ajados por las pasiones ni por brutales disipaciones. Porque aún cuando Tarzán de los Monos era un matador de hombres y fieras, mataba como un animal cazador, desapasionadamente, con excepción de las raras ocasiones en que mataba por odio, y aún éste no era un sentimiento malvado y premeditado. No, el suyo era un odio sencillo y primitivo. Cuando mataba, sonreía más veces que fruncía el ceño, y las sonrisas son la base de la belleza.

La joven se había fijado en algo especial cuando viera la pelea de Tarzán con Terkoz: la línea furiosamente roja que atravesaba su frente. Pero ahora miraba y no la veía, en su lugar había una finísima cicatriz.

Al notar que ella no ofrecía resistencia, Tarzán aflojó la presión del brazo.

En una ocasión él la miró a los ojos y sonrió, y la muchacha tuvo que cerrarlos turbada ante aquellas atractivas y perfectas facciones.

Tarzán decidió seguir por el camino de los árboles y Jane se sorprendió al notar que no tenía miedo. Se dio cuenta de que pocas veces en su vida se había sentido tan segura como en brazos de aquella poderosa y salvaje criatura que la llevaba a Dios sabe que lugar en la enmarañada espesura de aquella prehistórica selva.

Cada vez que cerraba los ojos y empezaba a hacer cábalas sobre su futuro y se imaginaba los horribles peligros que la amenazaban, no tenía más que abrir los ojos y mirar a aquella noble cara y sus temores se desvanecían por completo.

Sí, estaba convenciada de que nunca le haría daño; sabía que aquellas facciones no podían ocultar más que caballerosidad y nobleza de corazón.

Según avanzaban a Jane le parecía que la cortina de verdor que veían sus ojos se abría ante aquel dios de la selva y como por sortilegio, se volvía a cerrar tras ellos.

No notó ni el roce de una rama, aunque estaban rodeados por una entretejida maraña de ramas, hojas y plantas trepadoras.

Mientras, la mente de Tarzán se iba poblando de nuevos y extraños pensamientos. Se encontraba ante un problema totalmente distinto a todos cuantos se había enfrentado antes. No era capaz de razonarlo, sin embargo sabía que tenía que dar con la solución, pero no a la forma de los monos, sino a la manera de los hombres.

El moverse libremente por la foresta había empezado a calmar el ardor de la pasión que sentía por su recién encontrado amor.

Se encontró pensando en cual podía haber sido la suerte de la joven si el no hubiera llegado a tiempo para rescatarla de Terkoz.

Sabía por qué el mono no la había matado, y empezó a comparar sus propias intenciones con las de Terkoz.

Según la ley de la selva, el macho tomaba compañera por la fuerza; pero él no podía guiarse por esta ley, porque Tarzán era un hombre. Pero ¿qué hacían los hombres? Esa pregunta lo tenía terriblemente confuso pues desconocía la respuesta.

Desearía preguntar a la joven sobre esta duda, pero se dio cuenta de que ella ya le había respondido con su inútil forcejeo para escapar.

Ya habían llegado a su destino, y Tarzán de los Monos, con Jane en sus robustos brazos, se dejó caer suavemente en el suelo del anfiteatro en que los grandes monos se reunían en consejo y celebraban la salvaje orgía del Dum-Dum. Aunque habían recorrido muchos kilómetros, aún era media tarde y el anfiteatro estaba bañado por la luz del atardecer.

La blanda hierba que cubría el suelo invitaba a echarse a descansar en ella. Los miles de ruidos de la selva parecían quedar muy lejos y no se oía más que un suave murmullo.

Un sentimiento de paz embargó a Jane, al hundirse en la mullida hierba, y al mirar a la hercúlea figura que tenía delante de ella, percibió también una extraña sensación de absoluta seguridad.

Con los ojos semicerrados, vio cómo Tarzán cruzaba aquella especie de plaza vegetal y se dirigía hacia los árboles. Admiró su majestuoso andar y la perfecta simetría del magnífico y flexible cuerpo. ¡Qué criatura tan perfecta! En aquella envoltura tan admirable no podía haber sitio para la crueldad ni la vileza. Le parecía que desde la Creación, nunca otro hombre como aquél había pisado la tierra.

De un salto Tarzán desapareció entre los árboles. Jane se preguntó a donde iría. ¿La habría abandonado a su suerte en aquel solitario paraje?

Miró temerosa a todos los lados. Cualquier mata o arbusto le parecía el escondrijo de un animal salvaje que acechaba dispuesto a clavar sus feroces colmillos en su blanca piel. Todos los sonidos le hacían imaginar el sigiloso arrastrarse de algún ser sanguinario.

¡Qué diferente era todo, ahora que él la había dejado sola!

Durante unos minutos, que a ella le parecieron horas, estuvo con los nervios tensos y sin atreverse a hacer un movimiento, esperando que de un momento a otro se abalanzarían sobre ella poniendo fín a su existencia. Casi estaba rogando que no tardaran los crueles colmillos que la librarían de los horrores del miedo.

De pronto oyó a su lado un ligero ruido. Dando un

grito se puso en pie de un salto y se volvió para enfrentarse a su fin.

Allí estaba Tarzán, con los brazos cargados de deliciosos frutos silvestres.

Jane sufrió un estremecimiento y hubiera caído desplomada si Tarzán, soltando su carga, no la hubiera cogido en sus brazos. No perdió el conocimiento, pero se agarró a él con todas sus fuerzas, temblando como un cervatillo asustado.

Tarzán de los Monos acarició su delicado cabello y trató de calmarla igual que Kala había hecho con él, cuando, siendo aún muy pequeño, Sabor, la leona, o Histah, la serpiente, lo habían asustado.

La besó ligeramente en la frente, ella dejó escapar un suspiro y cerrando los ojos se dejó confortar.

No sabía lo que sentía, ni intentó explicárselo. En aquel momento le era más que suficiente sentir la protección de aquellos fuertes brazos y decidió no pensar en el futuro, porque en las últimas horas había aprendido a confiar en aquella extraña criatura salvaje con una fe que nunca había sentido por nadie.

Cuando pensó en lo extraño que resultaba todo aquello, se dió cuenta de que posiblemente había aprendido algo que nunca antes había conocido. Se preguntó si no sería que se estaba enamorando, y sonrió.

Todavía con la sonrisa en sus labios se desprendió suavemente del abrazo de Tarzán y mirándole entre enigmática y divertida señaló la fruta que estaba en el suelo y se fue a sentar al borde del tambor de tierra de los antropoides, porque empezaba a sentir hambre.

Tarzán recogió la fruta y la puso a los pies de ella, después se sentó a su lado y empezó a preparar los frutos para que ella los comiera.

Comieron en silencio, de vez en cuando se echaban miradas furtivas hasta que finalmente Jane rompió a reír alegremente contagiando a Tarzán.

"Me gustaría que hablaras inglés", dijo la joven.

Tarzán movió la cabeza y una expresión de deseo e impotencia ensombreció sus antes alegres ojos.

Entonces Jane intentó hablar en francés y en alemán, pero al probar con esta última lengua, le dio otra vez la risa.

"No te preocupes", dijo en inglés, "en Berlín tampoco comprendían mi alemán".

Tarzán ya había decidido lo que iba a hacer a continuación. Empezó a recordar lo que había leído en los libros de la cabaña sobre los hombres y las mujeres. Trataría de hacer todo aquello que se imaginaba que harían los hombres de sus libros si estuvieran en su lugar.

Se levantó y se fue en dirección a los árboles, pero antes trató de explicar por señas y gruñidos que volvería pronto, Jane comprendió lo que quería decir y esta vez no sintió miedo por su ausencia.

Solamente sentía soledad y no separó la vista del lugar por donde él había desaparecido. Como la vez anterior se dio cuenta de su vuelta por un ligero ruido a sus espaldas, al volverse lo vio llegar con un gran haz de ramas. Él regresó a la selva y a los pocos minutos volvió a aparecer trayendo una gran brazada de hierbas y helechos. Hizo dos viajes más a la selva hasta juntar un gran montón de material.

Con los helechos y las hierbas hizo una especie de cama y con las ramas construyó un techado que cubrió con hojas y ramitas pequeñas, a continuación cerró uno de los extremos del pequeño refugio con más ramas y helechos.

Después volvió a sentarse junto a la joven e intentó comunicarse con ella por señas.

El precioso medallón de diamantes que colgaba al cuello de Tarzán intrigaba mucho a Jane. Al señalarlo, Tarzán se lo quitó y se lo puso a ella en la mano.

La joven se dio cuenta de que aquello era obra de un experto y que los diamantes eran perfectos aunque su talla era un poco anticuada. También observó de que el medallón se abría y presionando un pequeño resorte las dos partes se separaron. En el interior de cada una de las tapas había una miniatura de marfil.

Una era de una hermosa mujer y la otra se parecía

muchísimo al hombre que estaba allí, con ella; había tan sólo una ligera diferencia en la expresión.

Cuando levantó la vista vio al hombre-mono que miraba con ojos de sorpresa las miniaturas. Alargó la mano y cogió el medallón para ver de cerca lo que tenía en su interior. En su cara se reflejaba claramente el asombro. Por su expresión era fácilmente perceptible que nunca había visto el interior del medallón y que ni siquiera había imaginado que se abría.

Aquello hizo que Jane se pusiera a meditar y se preguntara cómo habría llegado una joya tan valiosa a manos de una criatura salvaje en plena selva virgen africana.

Pero aún más enigmático resultaba el hecho de que en su interior guardara la efigie de un hermano o, más probablemente, del padre de aquella especie de dios selvático.

Tarzán seguía mirando fijamente a las dos caras del medallón. Entonces descolgó el carcaj del hombro después de vaciarlo de flechas metió la mano hasta el fondo y sacó un objeto plano envuelto en hojas y atado con finas tiras de hierba.

Con sumo cuidado deshizo el envoltorio y apareció una fotografía. Señalando la miniatura del hombre mostró la fotografía a Jane poniendo el medallón al lado.

La fotografía no hizo más que aumentar la sorpresa de la joven, porque era evidente que se trataba de otra imagen del hombre que aparecía en el medallón al lado de la mujer.

Tarzán miraba a Jane con ojos de inmensa sorpresa y a ella le dio la impresión de que él intentaba preguntar algo con la mirada.

La joven señaló primero la fotografía, después la miniatura y a continuación lo señaló a él, como indicando que veía que se parecían, pero él movió la cabeza y encogiendo sus enormes hombros envolvió la fotografía cuidadosamente y la volvió a meter en el carcaj.

Durante un momento permanecieron callados, él tenía la vista fija en el suelo y ella seguía observando el medallón como intentando descubrir alguna clave que le revelara la identidad de su extraño propietario.

Finalmente llegó a una conclusión.

El medallón había pertenecido a Lord Greystoke y las miniaturas eran de él y de Lady Alice.

El hombre salvaje no tenía más relación con ello que el haberlo encontrado en la cabaña de la playa ¡Claro, que era la explicación! ¿Cómo no se le habría ocurrido antes?

Pero el extraño parecido entre Lord Greystoke y aquel semidiós de la selva era algo que no podía explicarse, y no se le pasó por la imaginación que aquel salvaje desnudo fuera en realidad un noble inglés.

Al cabo de un rato Tarzán levantó la vista del suelo y se puso a observar a la joven que seguía examinando la joya. El no comprendía el significado de las dos caras del medallón, pero leía el interés y la fascinación que se reflejaba en la expresión de la hermosa y joven criatura que se sentaba a su lado.

Al sentirse observada y creyendo que él deseaba que le devolviera su adorno se lo entregó. El lo recogió y abriendo la cadena colocó el medallón en el cuello de la joven, sonriendo ante la expresión de asombro de ella por el inesperado regalo.

Jane sacudió la cabeza con vehemencia e intentó descolgar la cadena de su cuello, pero Tarzán se lo impidió. Cuando volvió a hacer ademán de quitárselo Tarzán le cogió las manos entre las suyas, suave pero firmemente, para que no pudiera hacerlo.

Al final ella acabó cediendo y sonriendo dulcemente se llevó el medallón a los labios y lo besó.

Tarzán no comprendió bien lo que aquello significaba, pero se imaginó que era la forma de darle las gracias y entonces se levantó y tomando el medallón en la mano se puso muy serio, como un caballero de la antigüedad, posando sus labios en el mismo lugar en que ella había puesto los suyos.

Fue un cumplido ejecutado con toda la gracia y dignidad de su subconsciente. Era el sello de su aristocrático origen que afloraba, el resultado natural de muchas generaciones de depurada educación, el instinto hereditario de una elegancia ancestral que toda una vida de salvajismo y adaptación al medio no habían podido eliminar.

La oscuridad se iba haciendo cada vez más intensa y volvieron a comer de aquella fruta que les proporcionaba a un tiempo alimento y bebida; a continuación Tarzán, poniéndose en pie se dirigió hacia la pequeña choza que había construido haciendo señas a Jane para que lo siguiera.

Por primera vez después de muchas horas, Jane volvió a sentir miedo, y Tarzán notó como retrocedía para evitarlo.

Después de medio día de contacto con la joven, Tarzán había sufrido un gran cambio, ya no era el mismo que aquella mañana había visto salir al sol. Ahora latía en todas las fibras de su cuerpo un algo hereditario que no podía definir.

No es que de repente hubiera dejado de ser un hombre mono para convertirse en un caballero, pero el instinto de su noble origen prevalecía y ardía en deseos de complacer a la mujer que amaba y quedar bien ante ella.

Y Tarzán de los Monos hizo la única cosa que sabía para asegurar a Jane que no corría peligro. Desenfundó su largo cuchillo y se lo ofreció a la joven cogiéndolo por la hoja al tiempo que la animaba a entrar en el rústico cobertizo.

La joven comprendió su intención y tomando el cuchillo entró y se acostó sobre el suave lecho de hierbas, Tarzán se echó a sus pies cruzado en la entrada.

La mañana los encontró en aquella misma posición.

Cuando Jane despertó, al principio no recordaba lo sucedido el día anterior y se sorprendió al verse en aquel extraño lugar el cobertizo, el suave lecho de hierbas y el desconocido paisaje.

Poco a poco fue reconstruyendo los hechos. Y entonces su corazón sintió una enorme sensación de alivio, pues a pesar de haber estado expuesta a un destino peor que la muerte se encontraba ilesa.

Salió del pequeño refugio para buscar a Tarzán. No había nadie, pero no tuvo miedo porque estaba segura de que volvería.

En la hierba de la entrada del cobertizo se veía la huella que el cuerpo de Tarzán había dejado. Comprendió que si había dormido tranquila era porque sabía que él había estado allí para protegerla.

¿Cómo sentir miedo con aquel semidiós tan cerca? Se preguntó si habría en el mundo otro hombre con el que una mujer se pudiera sentir tan segura. Con él cerca no temía ni siquiera a los leones ni a las panteras.

De pronto vio su ágil figura saltar de uno de los árboles. El la saludó con la misma abierta y radiante sonrisa que el día anterior la había hecho perder el miedo. Al tiempo que se aproximaba, el corazón de Jane latía con más fuerza y sus ojos adquirieron un brillo que nunca habían tenido.

Tarzán había ido a coger fruta y la depositó delante de la entrada del cobertizo. Los dos se sentaron y se dispusieron a comer.

Jane empezó a preguntar cuáles serían los planes de Tarzán. ¿La devolvería a la playa o la mantendría allí? Pronto se dio cuenta de que en el fondo no le preocupaba demasiado ¿Sería que no deseaba volver?

También empezó a comprender que se encontraba a gusto allí sentada al lado del sonriente gigante, comiendo fruta y gozando de aquel paraíso en el interior de la selva africana. ¡No solamente estaba contenta, estaba feliz!

No podía comprenderlo. La razón le decía que debería estar intranquila y abrumada por el miedo a lo desconocido, sin embargo su corazón estaba alegre y sonreía al hombre que estaba sentado a su lado.

Haciéndole señas para que lo siguiera, Tarzán se dirigió a los árboles que rodeaban el anfiteatro y cogiéndola con un brazo trepó a uno de los árboles.

La joven comprendió que la llevaba con los suyos, y no pudo reprimir un sentimiento de tristeza.

Marcharon por los árboles durante varias horas.

Tarzán de los Monos no se daba prisa. Trataba de aprovechar al máximo el placer que le producía sentir aquellos queridos brazos alrededor de su cuello, por eso fue dando un gran rodeo.

Hicieron varias pausas para descansar, no por Tarzán, sino por la joven. Al atardecer hicieron una parada de una hora al lado de un riachuelo para beber y comer.

Por fin llegaron a una parte más despejada de la selva. Tarzán saltó al suelo y separando la alta hierba mostró a la joven la cabaña.

Ella cogió su mano para que la acompañara y así decirle a sus amigos que aquel hombre la había salvado de un destino peor que la muerte y que la había cuidado con tanto cariño como un padre.

Pero venció la timidez del salvaje y Tarzán se echó hacia atrás moviendo negativamente la cabeza.

La joven se acercó mirándolo con ojos suplicantes. No podía hacerse a la idea de que volviera solo a la selva.

El siguió negándose con movimientos de cabeza, y estrechándola gentilmente entre sus brazos hizo ademán de besarla mirándola a los ojos para ver si ella lo aceptaba o lo rechazaba.

La joven dudó unos segundos y dándose cuenta de que en realidad no deseaba otra cosa se colgó de su cuello y con toda naturaliad, sin timidez, alguna poso sus labios en los de él.

"¡Te amo! ¡Te amo!", murmuró ella.

De pronto se oyeron las detonaciones de varias armas de fuego.

Tarzán y Jane se miraron sorprendidos. Mr. Philander y Esmeralda salieron de la cabaña.

Desde donde estaban no se divisaban los dos barcos fondeados en la ensenada.

Tarzán señaló en la dirección de las detonaciones, se tocó el pecho y volvió a señalar. Se iba y algo decía a la joven que lo hacía porque suponía que sus amigos estaban en peligro.

Volvió a besarla.

"Vuelve a mí", susurró ella. "Te esperaré siempre".

Desapareció rápidamente y Jane se fue hacia la cabaña.

Mr. Philander fué el primero en verla. Estaba oscureciendo y Mr. Philander era bastante míope.

"¡Rápido, Esmeralda!", gritó. "Vamos a resguardarnos dentro. Es una leona. ¡Date prisa!"

Esmeralda no se paró a pensar más. El tono de la voz de Mr. Philander fue más que suficiente. Aún no había acabado el hombre de decir "date prisa" cuando ella ya había cerrado la puerta con la traviesa dejando a Mr. Philander precisamente del lado de la puerta por donde se aproximaba la supuesta leona.

El anciano golpeó frenéticamente la puerta.

"¡Esmeralda! ¡Esmeralda!", gritaba. ¡Abreme antes de que me ataque!"

La gordísima mujer creyendo que el ruido de la puerta era producido por la leona que intentaba entrar, se desmayó.

Mr. Philander miró aterrorizado a sus espaldas.

La cosa estaba ya muy cerca, se le echaba encima. Trató de buscar la forma de subir al tejado y consiguió agarrarse al borde.

Durante un momento estuvo allí colgado pateando y haciendo esfuerzos por subirse, pero el trozo de alero al que se había cogido se desprendió y Mr. Philander cayó de espaldas al suelo.

En ese momento se acordó de algo que había leído en sus estudios de historia natural. Si uno simula estar muerto ante un león o una leona, parece ser que pasan de largo, y aunque no estaba muy seguro de acordarse de que fuera exactamente así, Mr. Philander se dejó estar según había caído. Pero como al caer había quedado con los brazos extendidos hacia arriba, su apariencia de cadáver no era demasiado convincente.

Jane había estado observando todos sus movimientos terriblemente sorprendida. Pero ahora le dio risa, era una risa apagada, pero fué suficiente. Mr. Philander se echó sobre un costado, miró atentamente y por fin distinguió a la joven.

"¡Jane!", gritó. "¡Jane Porter! ¡Loado sea Dios!"

Se puso rápidamente en pie y corrió a su encuentro. No podía creer que fuera ella, que estuviera viva.

"¡Santo Dios! ¿De dónde sales? ¿Dónde has estado todo este tiempo? ¿Cómo..."

"Cálmese, Mr. Philander", interrumpió la joven. "No voy a poder recordar tantas preguntas".

"Bueno, bueno", dijo Mr. Philander. "Pero es que estoy tan sorprendido y contento de verte sana y salva, que no sé ni lo que digo. Cuéntame lo que te pasó y como llegaste hasta aquí".

21. EL POBLADO DE LA TORTURA

Cuando la pequeña expedición de marinos se internó en el laberíntico verdor de la selva en busca de Jane Porter, la inutilidad de su intento se hizo cada vez más patente, pero la tristeza del anciano y la desesperación que se percibía en la expresión del joven inglés impidieron que el valiente y atento teniente D'Arnot diera la orden de regresar.

Pensó que quizás aún hubiera una ligera posibilidad de encontrar el cuerpo o algún resto de ella, porque estaba seguro de que había sido devorada por alguna fiera. Desplegó a sus hombres en formación de combate desde el lugar en que habían encontrado a Esmeralda y en esta formación fueron abriéndose camino, sudando y tropezando a cada momento con ramas caídas, arbustos enanos y plantas trepadoras.

El avance era lento y penoso. La tarde los alcanzó sin haber conseguido avanzar más que unos pocos kilómetros. Hicieron un alto para descansar y al poco rato al volverse a poner en marcha uno de los hombres descubrió un camino bastante claro y fácil de seguir.

Era una vieja senda de elefantes y después de consultar con el Profesor Porter y con Clayton, D'Arnot decidió seguirla.

El sendero atravesaba la selva en dirección norte y la columna avanzó por él en fila de a uno.

El teniente D'Arnot abría la marcha a paso bastante rápido. A continuación seguía el Profesor Porter, pero como no podía seguir el paso del atlético D'Arnot iba unos cien metros detrás, cuando de pronto varios guerreros negros rodearon al joven oficial.

D'Arnot dio un grito de alarma tan pronto como vio a los negros, pero antes de poder desenfundar su revólver ya había sido reducido y llevado al interior de la selva.

Su grito había alarmado a los marineros y una docena de ellos corrió en ayuda de su oficial. Cuando llegaron al lugar donde habían raptado a D'Arnot, una lanza procedente de la maleza atravesó a uno de los hombres y a continuación una lluvia de flechas cayó sobre ellos.

Empuñando los fusiles hicieron fuego contra los arbustos desde los que habian sido atacados.

El resto de la patrulla llegó al lugar y dispararon una descarga tras otra contra el invisible enemigo. Esos eran los disparos que Tarzán y Jane habían oído.

El teniente Charpentier que iba al mando de la retaguardia de la columna llegó corriendo y al conocer los detalles de la emboscada ordenó a los hombres que lo siguieran. Al poco tiempo luchaban cuerpo a cuerpo con un grupo de unos cincuenta guerreros del poblado de Mbonga.

Los siniestros cuchillos africanos y las culatas de los rifles se entremezclaron durante un momento en un salvaje y sangriento duelo, pronto los nativos desaparecieron entre la maleza dejando a los franceses contando sus bajas.

Había cuatro muertos, doce heridos y el teniente D'Arnot desaparecido. Las sombras empezaron a cubrir la selva y su situación iba empeorando al no poder encontrar el sendero de los elefantes por el que habían venido.

Lo único que podían hacer era acampar hasta el amanecer. Charpentier ordenó despejar la maleza y construir un cercado circular de arbustos y ramas en torno al campamento.

Encendieron una hoguera en el centro para alumbrarles en su trabajo y cuando acabaron la operación la noche ya estaba bastante avanzada.

Una vez seguros contra cualquier posible ataque de fieras o enemigos indígenas el teniente Charpentier puso centinelas en varios puntos y cansados y hambrientos se echaron a dormir.

Las quejas de los heridos se mezclaban con los rugidos de las fieras que habían sido atraídas por el ruido y la luz de la hoguera. La noche fue todo menos tranquila para los componentes de la maltrecha expedición.

Mientras tanto los guerreros negros que habían secuestrado a D'Arnot, sin esperar al resultado de la escaramuza, después de caminar por la maleza durante un rato volvieron al sendero a bastante distancia del lugar donde sus compañeros luchaban.

Avanzaron con bastante rapidez y los ruidos de la batalla se hacían cada vez más débiles hasta que dejaron de oírse totalmente. Al llegar a un claro artificial de la selva, D'Arnot vio un poblado de chozas de pajas rodeado de una empalizada. Ya era de noche.

En la aldea se armó un enorme griterío, y una horda de mujeres y niños salió al encuentro del pequeño grupo.

Y allí empezó para el oficial francés la experiencia más terrible que un hombre puede tener en la vida: la recepción de un prisionero blanco en un poblado de caníbales africanos.

Su crueldad estaba alimentada por el recuerdo de otras crueldades aún mayores a que habían sido sometidos por los oficiales blancos del cínico e hipócrita Leopoldo II de Bélgica, debido a cuyas atrocidades aquella, en otra hora poderosa tribu, había tenido que abandonar el Congo y se encontraba al borde de la desaparición.

Cayeron con uñas y dientes sobre D'Arnot, golpeándolo con palos y piedras y arañándolo con unas manos que parecían garras. Le fue arrancado todo vestigio de ropa y los golpes caían sin clemencia sobre su desnudo y dolorido cuerpo. Pero el francés no gritó ni una sola vez. Rogaba en silencio que acabaran de una vez sus sufrimientos.

Pero la muerte que pedía no iba a obtenerla tan fácilmente. Al rato los guerreros apartaron a las mujeres del prisionero. Lo querían para una ceremonia más sustanciosa que los golpes, cuando el ambiente se calmó un poco las mujeres se limitaron a escupir y a gritarle insultos.

Llevaron a D'Arnot al centro del poblado y allí lo ataron al gran poste del que ningun hombre había salido con vida.

Algunas negras se dirigieron a las cabañas a buscar cacerolas y agua, en tanto que otras construían una hilera de pequeñas hogueras en las que serían cocinadas las porciones dedicadas a la ceremonia; el resto del prisionero sería dividido en tiras y secado lentamente para devorar en otra ocasión. Además esperaban que los otros guerreros trajeran nuevos prisioneros.

El festejo fué retrasado en espera de los guerreros que habían quedado enzarzados en la escaramuza con los blancos. Cuando volvieron al poblado ya era bastante tarde y la danza de la muerte empezó a formarse alrededor del infeliz oficial.

Casi desvanecido por el dolor y el agotamiento, D'Arnot veía con ojos entrecerrados aquella delirante danza, deseando que todo fuera una pesadilla de la que pronto despertaría.

Las caras pintarrajeadas; las grandes bocas de gruesos labios; los afilados dientes; los enormes y demoníacos ojos; los relucientes y desnudos cuerpos; las puntiagudas lanzas. ¡No era posible!, aquellas criaturas no podían existir, ¡tenía que ser un sueño!

El cerco de contorsionantes cuerpos se iba cerrando. Una lanza se adelantó y le hirió en un brazo. El agudo dolor y el correr de la sangre le despertaron a la horrible realidad de su desesperada situación.

Siguió otra lanzada y luego otra. Cerró los ojos y apretó los dientes —no gritaría. Era un soldado de Francia y les iba a demostrar a aquellos salvajes cómo moría un oficial y un caballero.

Tarzán de los Monos no necesitaba intérprete para comprender lo que significaban aquellos disparos. Todavía con el calor de los besos de Jane en sus labios, se movió con increíble rapidez saltando de rama en rama, atravesando la selva en dirección al poblado de Mbonga.

No le interesaba el lugar de la pelea, porque sabía que no duraría mucho. A los muertos no podía ayudarlos y los supervivientes no necesitarían su ayuda.

A quien tenía que socorrer era aquellos que no habían muerto ni habían podido escapar. Y sabía que los encontraría atados al poste del poblado.

Había visto muchas veces a las partidas de guerreros

volver del norte con prisioneros y lo que seguía era siempre la misma escena ante aquel siniestro poste iluminado por el resplandor de multitud de pequeñas fogatas.

También sabía que por lo general no perdían mucho tiempo en acabar con sus víctimas. Dudaba mucho de poder hacer otra cosa que tomar represalias.

Atravesaba la parte más intrincada de la selva. La luz de una luna tropical iluminaba el vertiginoso camino a través de las ramas de los árboles.

Pudo notar en la lejanía el resplandor de una hoguera a la derecha de su trayectoria. Desconocía la presencia de los marinos.

Tarzán se sentía tan seguro de su conocimiento de la selva que no se desvió de su ruta y pasó a casi un kilómetro de distancia del resplandor procedente del campamento de los franceses.

En pocos minutos Tarzán se encontraba en los árboles que sobresalían por encima de la empalizada y se adentraban en el poblado de Mbonga. Por fortuna aún no era demasiado tarde ¿O sí? No podría decirlo. La figura atada al poste estaba totalmente inmóvil, sin embargo los guerreros seguían alanceándola.

Tarzán conocía sus costumbres. Aún no le habían dado el golpe mortal. Podía decir sin temor a equivocarse cuanto tiempo llevaban danzando.

Faltaba poco para que el cuchillo de Mbonga cortara las orejas de la víctima y aquella sería la señal, el principio del fin, porque en poco tiempo no quedaría más que una grotesca masa de carne mutilada y sangrante.

Todavía conservaría un soplo de vida, pero lo único que se podía hacer era pedir que la muerte piadosa llegara pronto.

El poste estaba a unos doce metros del árbol más cercano. Tarzán enrolló su lazo. Después lanzó el aterrador grito de desafío de los grandes monos.

Los danzantes se quedaron inmóviles, petrificados.

El lazo cruzó el aire por encima de las cabezas de los negros. En medio de la oscuridad reinante.

D'Arnot abrió los ojos. Un negro que estaba delante

de él saltó hacia atrás como arrastrado por una mano oculta.

Forcejeando, gritando y revolcándose por el suelo fue arrastrado rápidamente hacia los árboles.

Los otros negros miraron el espectáculo sobrecogidos por un mudo terror.

Cuando el cuerpo llegó a la altura de los árboles, se elevó y desapareció entre el follaje, los aterrados negros prorrumpieron en gritos de pánico y se abalanzaron corriendo hacia la entrada de la empalizada.

D'Arnot quedó solo.

Era un hombre valiente, pero un escalofrío le recorrió la espalda al oír el inhumano grito. Sintió correr un frío sudor y tuvo la sensación de que la muerte misma le pasaba sus dedos por la piel.

D'Arnot estaba mirando el lugar por donde había desaparecido el cuerpo cuando notó que algo se movía allí.

Las ramas se torcieron como bajo el peso de un cuerpo humano se oyó un chasquido y el negro cayó a tierra, inmóvil.

Inmediatamente después apareció otra figura, pero ésta distaba mucho de caer inerte.

D'Arnot vió un joven gigante de poderosos musculos que emergía de las sombras y se dirigía hacia donde él estaba.

¿Qué buscaría allí? ¿Quién sería? Seguramente se trataba de otra forma que venía a atormentarlo. Estaba pendiente de la figura que avanzaba observándolo detenidamente.

Aunque sin demasiada esperanza, sentía que en la expresión del gigante no había crueldad.

Sin decir una palabra, Tarzán de los Monos le cortó las ligaduras. Debilitado por los sufrimientos y por la pérdida de sangre se le doblaron las piernas y hubiera caído si no hubiese sido cogido por los fuertes brazos del extraño ser blanco.

Antes de perder el conocimiento tuvo la sensación de elevarse y volar.

22. LA EXPEDICION DE RESCATE

El amanecer despertó el abatido y descorazonado campamento francés.

Tan pronto como hubo luz suficiente para investigar los alrededores, el teniente Charpentier en grupos de tres envió a sus hombres en varias direcciones para encontrar el sendero; lo localizaron unos diez minutos más tarde y se pusieron en marcha hacia la playa.

Fué una operación penosa, llevaban en las camillas los cuerpos de seis compañeros muertos y varios heridos.

Charpentier había decidido volver al campamento a buscar refuerzos para emprender una operación de búsqueda y castigo de los negros y tratar de rescatar a D'Arnot.

Cuando llegaron a la playa la tarde moría, todos estaban agotados, pero a dos de ellos les aguardaba una sorpresa tan agradable que enseguida olvidaron sus sufrimientos.

Cuando el grupo salió de la selva, la primera persona que el Profesor Porter y Cecil Clayton vieron fué a Jane que estaba a la puerta de la cabaña.

Con un grito de alegría y alivio ella corrió a recibirlos, abrazando a su padre y rompiendo a llorar; la primera vez que lo hacía desde que habían llegado a aquella desoladora costa.

El profesor Porter intentó contener su emoción, pero la tensión nerviosa y el cansancio eran tan intensos que sin poderlo remediar se encontró abrazado a su hija sollozando como un niño.

Jane lo llevó a la cabaña cogida de su brazo y los franceses se fueron hacia la orilla donde esperaban varios de sus compañeros.

Clayton, comprendiendo que padre e hija deseaban estar solos, fué con los marineros y estuvo hablando con los oficiales hasta que éstos embarcaron en los botes para dirigirse al crucero, pues el teniente Charpentier tenía que hacer el informe de la desafortunada expedición.

El joven inglés regreso a la cabaña con el corazón saltándo de gozo. ¡La mujer que amaba estaba a salvo! Se preguntaba qué especie de milagro había ocurrido. El verla viva le parecía increíble.

Según se acercaba vio salir a Jane que corría a su encuentro.

"¡Jane!", gritó. "Dios ha oído nuestras plegarias. ¿Cómo logró escapar? ¿Qué milagro providencial la ha salvado para nosotros?"

Era la primera vez que la llamaba por su nombre de pila. Cuarenta y ocho horas antes el oír su nombre en labios de Clayton hubiera producido en Jane una grata sensación de complacencia. Ahora la intimidaba.

"Mr. Clayton", dijo ella reposadamente extendiendole la mano, "antes de nada quiero agradecer su caballeroso comportamiento con mi padre. El me ha contado su noble actuación. ¡No sé cómo podremos pagárselo!"

Clayton se dio cuenta de que ella no le devolvía el familiar saludo, pero en aquel momento no se imaginó nada extraño. Jane acababa de pasar una prueba terrible y consideraba que aquella no era la ocasión más apropiada para hablar de sus sentimientos.

"Para mí es pago suficiente el ver que tanto usted como el Profesor Porter vuelven a estar juntos y bien. Yo no sé si él hubiera podido soportar mucho más tiempo la pena que le embargaba. Fue la experiencia más triste de mi vida, Miss Porter; porque además de sentir lo que sentía por su padre estaba mi propio dolor, ¡pero él estaba tan abatido! He aprendido que ningún amor, ni siquiera el de un hombre por su esposa, es tan profundo y desinteresado como el de un padre por su hija".

La joven agachó la cabeza. Había algo que deseaba preguntar, pero le parecía injusto hacerlo ahora, pensando en lo que habian sufrido aquellos dos hombres que la amaban mientras ella había estado riéndose féliz al lado del semidiós de la selva.

Pero el amor es un sentimiento extraño y la naturaleza humana es aún más extraña, por eso decidió hacer la pregunta.

"¿Dónde está el hombre de la selva que ha ido a rescatarlos? ¿Por qué no ha venido con ustedes?"

"No la comprendo", dijo Clayton. ¿A quién se refiere?"

"Al que nos ha salvado a todos, al que me libró del gorila".

"¡Oh!", contestó Clayton con sorpresa. "¿Fue él quien la rescató? No sabía nada".

"¿Es posible que no lo hayan visto? Estaba conmigo cerca de la cabaña cuando se oyeron los disparos y salió a buscarlos. Me explicó que iba en su ayuda".

Su tono era casi suplicante, aunque trataba de contener su alteración. Clayton lo notó y se preguntó cuál sería el motivo de su estado de ánimo. ¿Por qué estaría tan interesada en conocer el paradero del extraño hombre?

Un sentimiento de sospecha se fue formando en su pecho y, sin ser totalmente consciente, el germen de sus celos se iba centrando en aquel hombre-mono a quien debía la vida.

"No lo hemos visto", replicó él. "No se unió a nosotros". Después de pensarlo un rato dijo: "Quizás se haya ido con su propia tribu con los que nos atacaron". No sabía como había dicho aquello porque realmente no lo sentía.

La joven le miró sorprendida.

"¡No!", dijo vehementemente; demasiado vehementemente, pensó Clayton. "Eso no es posible ¡Los que atacaron eran salvajes!"

"Es una extraña y salvaje criatura de la selva, Miss Porter". Contestó Clayton atropelladamente. "No sabemos nada de él. Ni siquiera comprende una sola de las lenguas europeas, y sus armas y adornos son los mismos que usan los indígenas de la costa occidental. Los únicos seres humanos que hay en cientos de kilómetros a la redonda son salvajes. Debe pertenecer a la tribu que nos atacó a otra igual de primitiva. Es posible incluso que sea caníbal".

Jane empalideció.

"No puedo creerlo", murmuró. "No es cierto. Ya lo verá. Volverá y eso demostrará que está usted equivocado. No lo conoce como yo. Le digo que es un caballero".

Clayton era un hombre generoso y galante, pero la impetuosa defensa que del hombre de la selva hacía la joven despertó en él unos celos irrazonables y olvidando por un momento que todos debían la vida a aquel semidiós selvático respondió con una sonrisa burlona.

"Es posible que tenga razón, Miss Porter", dijo, "pero no creo que tengamos que preocuparnos por nuestro amigo el carroñero. Lo más probable es que se trate de algún naúfrago que ha perdido la razón y que nos olvidará enseguida, igual que nosotros lo olvidaremos a él. No es más que una fiera de la selva".

La joven no respondió, pero notó que el corazón se le encogía.

Sabía que Clayton decía lo que pensaba y por primera vez empezó a analizar críticamente la personalidad de su recién encontrado amor.

Lentamente dio la vuelta y se volvió a la cabaña. Trató de imaginarse al dios de la foresta a su lado, en el salón de un transatlántico. Lo veía comiendo con las manos desgarrando la carne como un animal salvaje y limpiándose los grasientos dedos en los muslos. Se estremeció.

Se imaginó presentando a sus amistades a aquel patán grosero y analfabeto; la joven suspiró.

Dentro de su improvisada habitación se sentó en el borde de la cama, tenía una mano en el regazo y con la otra acariciaba el medallón del hombre-mono.

Se lo quitó y cogiéndolo en la palma de la mano durante un momento con los ojos humedecidos por las lágrimas. Después lo llevó a los labios y se puso a sollozar en silencio.

"¿Salvaje?", murmuró. "Entonces que Dios me haga

también a mi una salvaje, porque te amo".

Aquel día no volvió a ver a Clayton. Esmeralda llevó algo de cenar y por mediación de ella dijo a su padre que estaba muy aturdida por los efectos de lo que había sucedido.

A la mañana siguiente Clayton salió muy temprano con la expedición de rescate en busca del teniente D'Arnot. Esta vez eran doscientos hombres armados, con diez oficiales, dos médicos y provisiones para una semana.

Llevaban mantas y camillas para transportar a los enfermos y heridos.

Era un destacamento de hombres resueltos y aguerridos, una auténtica expedición de castigo. Poco después del mediodía llegaron al lugar de la escaramuza, porque ahora conocían mejor el camino y no perdieron tiempo en avanzadillas de exploración.

Desde allí el sendero de los elefantes conducía directamente al poblado de Mbonga. Sobre las dos de la tarde divisaron la empalizada.

El teniente Charpentier iba al mando de la expedición y envió una parte de sus fuerzas al otro lado del poblado. Otro grupo fue emplazado enfrente de la puerta de la empalizada, en tanto que él permanecía con el resto de sus fuerzas en la parte sur.

Todo quedó preparado para que el grupo que se iba a situar al norte y que llegaría el último a su destino, iniciara el ataque. Su primera andanada de disparos sería la señal que sincronizaría a los otros grupos para tomar el poblado por asalto y arrasarlo.

Durante una media hora los hombres del teniente Charpentier permanecieron escondidos entre la maleza esperando la señal. Les pareció que pasaban horas. Veían a los indígenas trabajando los campos y deambulando por el poblado.

Por fin oyeron la señal, una descarga de fusilería, y como un solo hombre, respondieron otras dos descargas desde el oeste y sur de la selva.

Los indígenas que estaban labrando la tierra soltaron

sus aperos y corrieron a protegerse en la empalizada. Las balas francesas los diezmaron y los marinos avanzaron, saltando por encima de los cadáveres, hacia la entrada del poblado.

El ataque había sido tan rápido e inesperado que los blancos llegaron a la entrada de la empalizada antes de que los nativos tuvieran tiempo de cerrar el pesado portalón. En pocos momentos el poblado estaba ocupado por hombres armados que luchaban cuerpo a cuerpo en inconcebible confusión.

Los negros resistieron el empuje durante algún tiempo, pero los revólveres, rifles y sables de los franceses pronto vencieron a las lanzas y a las flechas.

La batalla no tardó mucho en convertirse en una salvaje carnicería, porque los marinos franceses habían visto jirones del uniforme de D'Arnot sobre varios guerreros.

Respetaron a los niños y a todas las mujeres que no se vieron obligados a matar en defensa propia, pero cuando pararon lo hicieron porque no quedaba ni un solo guerrero vivo en todo el poblado de Mbonga que les hiciera frente. Estaban cubiertos de sangre y sudor.

Buscaron y rebuscaron por todo el poblado, pero no vieron ni señal de D'Arnot. Empezaron a preguntar por señas a los prisioneros entonces uno de los marineros que había estado en el Congo francés se dio cuenta de que comprendía algo de aquel dialecto que hablaban algunas tribus de la costa, pero aún así no pudieron saber nada concreto sobre la suerte que había corrido D'Arnot.

Por toda respuesta a las preguntas que hacían sobre su compañero, no obtuvieron más que gestos y expresiones de miedo supersticioso y por fin se convencieron de que aquello significaba que habían sacrificado y devorado a su camarada hacía dos días.

Abandonada toda esperanza, decidieron acampar aquella noche en el poblado. Los prisioneros fueron hacinados en tres chozas bajo una fuerte vigilancia. Se apostaron centinelas en la empalizada y el silencio se hizo sobre todo el poblado; no se oían más que los lamentos de las mujeres por sus muertos.

A la mañana siguiente dispusieron la marcha. En un principio habían decidido quemar el poblado, pero cambiaron de idea y dejaron abandonados a su suerte a los supervivientes, pero con las cabañas y las empalizadas intactas para refugiarse de las fieras de la selva.

La expedición retrocedió lentamente. Las diez camillas retrasaban la marcha, en dos iban los muertos y en las ocho restantes los heridos.

Clayton y el teniente Charpentier iban en retaguardia del destacamento. El inglés guardaba un respetuoso silencio por el dolor del oficial, pues D'Arnot y Charpentier habían sido amigos inseparables desde la niñez.

También pensó que la pena del francés era aún mayor porque el sacrificio de D'Arnot había sido inútil, ya que Jane había sido rescatada antes de que D'Arnot cayera en manos de los negros y además, porque la misión en la que había perdido la vida, no estaba dentro de sus obligaciones y había sido por socorrer a unos extranjeros; pero cuando habló de ésto al teniente Charpienter, el oficial movió la cabeza.

"No, Monsieur, D'Arnot hubiera querido morir así. Lo que agrava mi pena es el no haber podido morir por él o, por lo menos, estar a su lado. Me gustaría que lo hubiera conocido mejor. Además de ser un buen oficial era un auténtico caballero algo que se dice de muchos, pero que muy pocos merecen. No murió inútilmente, porque su muerte por una mujer americana será un ejemplo para que nosotros, sus camaradas, sepamos cumplir con nuestro deber en todo momento".

Clayton no respondió, pero desde aquel momento aprendió a sentir un gran respeto por los franceses.

Cuando llegaron a la cabaña ya era bastante tarde. Antes de llegar dispararon un tiro al aire para notificar a los del campamento y a los del barco que la expedición había llegado demasiado tarde. Era la señal previamente acordada: un tiro para avisar del fracaso, dos tiros si no habían localizado ni a D'Arnot ni a sus captores negros, y tres si la expedición había tenido éxito.

Fueron recibidos solemnemente y se habló poco, los heridos fueron cuidadosamente atendidos y embarcados en los botes para ser trasladados al crucero.

Clayton, agotado por los cinco días de marcha a través de la selva y por las dos luchas con los indígenas se dirigió a la cabaña con intención de comer algo y reposar en la relativa comodiad de su lecho de hierbas.

Jane estaba a la puerta de la cabaña.

"¡Pobre teniente!", dijo. "¿No le han encontrado?"

"Llegamos demasiado tarde, Miss Porter", replicó él tristemente.

"¿Qué ha sucedido?", preguntó.

"Es demasiado horrible para contarlo, Miss Porter".

"¿Quiere decir que lo han torturado?", dijo ella alarmada.

"No sabemos lo que hicieron *antes* de matarlo", contestó él; tenía la cara demacrada por la fatiga y el pesar, cuando pronunció la palabra antes.

"*Antes* de matarlo ¿Qué quiere decir? ¿No querrá decir que son...?"

Ella se acordó de lo que Clayton había dicho sobre la posible relación del hombre de la selva con aquella tribu y no se atrevía a pronunciar la terrible palabra.

"Sí, Miss Porter, eran... caníbales", dijo con amargura, porque también él se acordó del hombre de la selva y del extraño sentimiento de celos que había sentido hacía dos días.

Y con una brutalidad de la que normalmente era incapaz añadió:

"¡Cuando su dios de la selva la abandonó, es que seguramente no quería perderse el festín!"

Se arrepintió inmediatamente de aquellas palabras, aún sin saber lo mucho que habían herido a la joven. Era indigno decir aquello de alguien a quien todos los del grupo debían la vida.

La joven levantó la cabeza como mordida por una víbora.

"Lo que ha dicho no tiene más que una respuesta,

Mr. Clayton", dijo cortante, "siento no ser un hombre para dársela yo misma". Dio media vuelta y entró en la cabaña.

El inglés reaccionó tarde y la joven ya había desaparecido. "Me ha llamado mentiroso", se dijo lamentándose, "y creo que me lo merezco", y pensó: "Clayton, amigo, sé que estás cansado y terriblemente excitado, pero eso no te da derecho a andar diciendo tonterías. Será mejor que te acuestes".

Antes de hacerlo llamó a Jane que estaba al lado de la rudimentaria división, deseando disculparse, pero fue como quien habla con una piedra. Entonces escribió una nota en una hoja de papel y la metió por debajo de la división.

Jane vió la nota, pero no hizo caso porque se sentía mortificada y estaba furiosa, pero, mujer al fin, después de un rato la cogió y leyó.

Apreciada Miss Porter:

Reconozco que no tenía derecho a manifestarme como lo he hecho. La única justificación que encuentro es que tengo los nervios deshechos, lo cual no justifica nada.

Por favor, le ruego que trate de olvidar el incidente como si nunca hubiera sucedido. Usted sería la última persona en el mundo a la que yo intentará herir. Por favor, diga que me perdona.

WM. Cecil Clayton

"Si no lo pensaba no lo hubiera dicho", se dijo la joven, "pero no puede ser cierto. ¡Yo sé que no es cierto!"

Una frase de la nota la puso incómoda: "Usted sería la última persona en el mundo a la que yo intentara herir".

Hacía una semana, aquella frase le hubiera complacido vívamente, ahora le deprimía.

Deseaba no haber conocido nunca a Clayton. Sentía

haberse encontrado al dios de la selva. ¡No, de eso se alegraba! También estaba aquella otra nota que había encontrado al lado de la cabaña el mismo día en que había vuelto de la selva: la nota de amor de Tarzán de los Monos.

¿Quién podía ser aquel nuevo galanteador? Si se trataba de otro más de los salvajes habitantes de la selva, podía ser que intentara alguna acción para hacerse con ella.

"¡Esmeralda! ¡Despierta!", refunfuñó molesta. "Me irrita verte durmiendo tan tranquilamente cuando todo el mundo está al revés".

"¡Dios mío!", gritó Esmeralda despertando alarmada. "¿Qué pasa ahora? ¿Qué nuevo peligro nos amenaza, Miss Jane?"

"Nada, no pasa nada, Esmeralda. Vuelve a dormir. No sé si es peor tenerte dormida o despierta".

"De acuerdo, niña, ¿pero qué es lo que te pasa? Te has comportado de una forma muy rara toda la tarde".

"¡Oh, perdona Esmeralda, es que esta noche estoy de un humor endiablado", dijo la joven. "No me hagas caso".

"Está bien, pequeña; ahora trata de dormir. Tienes los nervios de punta. Lo mismo que yo con todas esas alimañas y fieras devoradoras de hombres que nos rodean. Todos estamos desquiciados".

Jane cruzó la pequeña habitación sonriendo y dio un beso de buenas noches a la cariñosa y enorme Esmeralda.

23. EL HERMANO HOMBRE

Cuando D'Arnot recobró el conocimiento, se encontró acostado en un blando lecho de hierbas y helechos bajo un pequeño refugio de ramas en forma de "A".

La abertura a sus pies le dejaba ver una esplanada cubierta de hierba limitada al fondo por una especie de muralla natural de árboles y enmarañada vegetación.

Se sentía incapaz de moverse, le dolía todo el cuerpo y fallaban sus fuerzas, poco a poco fue recuperando la consciencia y empezó a notar las punzadas de multitud de heridas y un sordo dolor en todos los huesos y músculos de su cuerpo, como resultado de los golpes que había recibido.

El simple hecho de mover la cabeza le produjo un dolor tan intenso que se vio obligado a permanecer inmóvil con los ojos cerrados un buen rato.

Trató de reconstruír los detalles de lo que había sucedido hasta el momento de perder el conocimiento, para hacerse una composición del lugar en que se encontraba ahora. ¿Estaría entre amigos o enemigos?

Fue reconstruyendo toda la escalofriante escena atado al poste y finalmente recordó la singular figura del hombre blanco en cuyos brazos se había desvanecido.

D'Arnot se preguntó qué destino le aguardaría ahora. No veía ni percibía ningún signo de vida a su alrededor.

El incesante murmullo de la selva, el rozar de millones de hojas, el zumbido de los insectos, el canto de los pájaros y los chillidos de los micos parecían mezclarse en un extraño y sedante ronroneo que le hacía tener la sensación de encontrarse totalmente aislado de toda aquella vitalidad selvática, y de cuya existencia no percibía más que un indescifrable y apagado eco.

Volvió a quedarse sumido en un sueño reparador y no despertó hasta bien entrada la tarde.

Otra vez volvió a sentir la misma sensación de desconcierto que había notado en su anterior despertar, pero pronto recordó todo lo sucedido y al mirar a través de la abertura a sus pies vio la figura de un hombre sentado de cuclillas.

La ancha y musculosa espalda estaba vuelta hacia él, pero a pesar de su oscuro tono bronceado, D'Arnot pudo ver que se trataba de un hombre blanco y dio gracias a Dios.

El francés llamó débilmente. El hombre se volvió y poniéndose en pie se acercó al refugio. Sus facciones eran muy agradables. A D'Arnot le pareció que eran las facciones masculinas más agradables que había visto en su vida.

El hombre entró a gatas en el cobertizo y puso una mano en la frente del oficial herido.

D'Arnot le habló en francés, pero el hombre movió negativamente la cabeza y al oficial le pareció que su mirada se entristecía. Probó con el inglés, pero el hombre también negó. En italiano, español y alemán obtuvo el mismo resultado.

El marino sabía algunas palabras de noruego, ruso, griego e incluso de un par de dialectos de las tribus de la costa occidental, pero el hombre las desconocía por completo.

Después de examinar las heridas de D'Arnot, el hombre-mono salió del refugio y desapareció. Al cabo de una media hora volvió con algo de fruta y un cuenco de calabaza lleno de agua.

El francés comió y bebió algo. Se extrañó de no tener fiebre. Después intentó de nuevo comunicarse con su extraño enfermero, pero también fracasó.

Tarzán salió rápidamente del refugio y volvió a los pocos minutos con varios trozos de corteza de árbol y, maravilla de las maravillas, un lápiz.

Sentándose al lado de D'Arnot escribió un rato en la parte interior de una de las cortezas y se la entregó al francés.

Este quedó atónito al ver escrito en letras de imprenta una nota en inglés:

Yo soy Tarzán de los Monos. ¿Quién eres tú? ¿Sabes escribir en esta lengua?

D'Arnot cogió el lápiz y se quedó pensando. Aquel hombre extraño escribía inglés. Era evidente que era inglés.

"Sí", dijo D'Arnot, "escribo, leo y hablo inglés. Ahora ya podemos hablar. En primer lugar quiero darte las gracias por lo que has hecho por mí".

El hombre movió la cabeza negativamente y señaló el lápiz y la corteza.

"*¡Mon Dieu!*", exclamó D'Arnot. "¿Si eres inglés cómo es que no hablas esa lengua?"

Entonces comprendió algo; el hombre era mudo, posiblemente sordomudo.

Y escribió en la corteza, en inglés:

Yo soy Paul d'Arnot. Teniente de la marina francesa. Te agradezco lo que has hecho por mí. Me has salvado la vida. Todo lo que tengo lo pongo a tu disposición. Voy a hacerte una pregunta, ¿cómo es que escribes inglés y no lo hablas?

La respuesta de Tarzán dejo enormemente sorprendido a D'Arnot:

Yo solamente hablo la lengua de mi tribu, la tribu de Kerchak, el que fue rey de los grandes monos; también hablo algo de la lengua de Tantor, el elefante, y de Numa, el león, la de los otros habitantes de la selva la entiendo. Con un ser humano nunca he hablado, excepto con Jane Porter, por señas. Esta es la primera vez que hablo, escribiendo las palabras, con alguien de mi especie.

D'Arnot estaba desconcertado. Le parecía inconcebible que existiera sobre la faz de la tierra un hombre ya crecido que nunca hubiera hablado con otros hombres, y lo más extraño es que ese hombre supiera leer y escribir.

Leyó otra vez la nota de Tarzán: "excepto con Jane Porter". Aquella era la joven americana que había sido raptada por un gorila.

En la mente de D'Arnot se formó una idea: aquel hombre debía de ser el "gorila". Tomó el lápiz y escribió:

¿Dónde está Jane Porter?

Y Tarzán contestó más abajo:

De vuelta con su gente en la cabaña de Tarzán de los Monos.

Entonces no estaba muerta ¿Dónde estaba? ¿Qué le había sucedido?

Ella no está muerta. Fue raptada por Terkoz para ser su hembra pero Tarzán de los Monos la rescato y mató a Terkoz antes de que él le hiciera daño.

Nadie que se enfrente a Tarzán de los Monos y pelee con él vive. Yo soy Tarzán de los Monos. El gran luchador.

D'Arnot escribió:

Me alegro que la joven esté a salvo. Escribir me agota, voy a descansar un rato.

Tarzán escribió a continuación.

Sí descansa. Cuando estés bien te llevaré con tu gente.

D'Arnot pasó varios dias echado en aquella suave cama de helechos. Al segundo día se presentó la fiebre y el marino pensó enseguida en una infección y supo que moriría.

Se le ocurrió una idea. ¡Cómo no lo habría pensado antes!

Llamó a Tarzán y le indicó por señas que quería escribir. Cuando tuvo las cortezas y el lápiz, escribió:

¿Puedes ir a buscar a mi gente? Si les llevas un mensaje mío ellos te seguirán hasta aquí.

Tarzán sacudió la cabeza y en la corteza respondió:

Ya lo pensé el primer día, pero no me atreví a hacerlo. Los grandes monos frecuentan este lugar, y si te encuentran aquí, herido y solo, te matarán.

D'Arnot se echó sobre un costado y cerró los ojos. No deseaba morir, pero veía que no tenía salvación porque la fiebre no dejaba de subir. Aquella noche perdió el conocimiento.

Durante tres días estuvo delirando y Tarzán estuvo a su lado lavando sus heridas y mojándole la cabeza y las manos.

Al cuarto día la fiebre desapareció tan repentinamente como había empezado, pero D'Arnot se había convertido en una sombra de sí mismo y estaba muy débil. Tarzán tenía que levantarlo para darle de beber con la calabaza.

La fiebre no era resultado de una infección, como había creído D'Arnot, sino que era una de esas fiebres que atacan al hombre blanco en las selvas africanas y que o bien lo matan o desaparecen de pronto.

Dos días más tarde, el francés daba sus primeros pasos por el anfiteatro, ayudado por Tarzán.

Se sentaron a la sombra de un gran árbol y el hombre-mono buscó una corteza suave para poder escribir.

D'Arnot fue el primero en hacerlo:

¿Qué puedo hacer para pagarte todo lo que hiciste y haces por mí?

Tarzán respondió:

Enséñame a hablar la lengua de los hombres.

D'Arnot emprendió la tarea inmediatamente, señalando objetos comunes y repitiendo sus nombres en francés, porque creyó que le sería más fácil enseñarle a aquel hombre su propia lengua.

Para Tarzán no importaba demasiado, porque no podía distinguir una lengua de otra, así cuando señaló la palabra hombre que había escrito en un trozo de corteaprendió de D'Arnot que se pronunciaba *homme*, de esa misma forma fué aprendiendo que mono se decía *singe* y que árbol era *arbre*, etcétera.

Su avidez por aprender era increíble, y, en pocos días ya podía decir en francés frases cortas como: "Aquel es un árbol", "Esta es la hierba", "Tengo hambre", y similares, pero D'Arnot comprendió que la mayor dificultad estaba en enseñarle sintaxis francesa sobre una base inglesa.

El francés escribía lecciones cortas en inglés para que Tarzán las repitiera en francés, pero como el francés resultante de la traducción literal resultaba muy pobre, Tarzán a menudo se sentía confuso.

D'Arnot comprendió que había cometido un error, pero le pareció que era demasiado tarde para volver atrás y comenzar de nuevo, obligando a Tarzán a olvidar todo lo aprendido; sobre todo porque estaban llegando a un punto en que ya se hacía posible una rudimentaria conversación oral.

Un día Tarzán escribió una nota preguntando a D'Arnot si se encontraba fuerte para ser llevado hasta la cabaña. Tarzán estaba tan ansioso por ir como D'Arnot, porque añoraba a Jane.

Por esa misma razón había sido muy duro para él permanecer al lado del francés todos aquellos días. En ese detalle se notaba su nobleza de carácter tanto o más que en el rescate del francés del poblado de Mbonga.

No había nada que el marino deseara más y escribió:

Pero tú no puedes llevarme todo el tiempo por esta impenetrable selva.

Tarzán rió.

"Mais oui", dijo, y a D'Arnot le dió la risa al oír en labios del hombre-mono aquella expresión que él utilizaba tan a menudo.

Enseguida se pusieron en camino y, al igual que Clayton y Jane, el francés se maravilló de su extraordinaria agilidad y fuerza.

A media tarde llegaron a la zona de la playa y al saltar al suelo desde el último árbol el corazón de Tarzán empezó a latir con tanta fuerza que parecía querer saltar del poderoso pecho, por la emoción de volver a ver a Jane.

No se veía a nadie fuera de la cabaña, y D'Arnot se

quedó perplejo al ver que el crucero y el *Arrow* ya no estaban fondeados en la ensenada.

Al irse acercando a la cabaña, la atmósfera de desolación que se respiraba en el ambiente se fue apoderando de los dos hombres.

Ninguno de los dos dijo nada, pero ambos sabían lo que encontrarían detrás de la puerta cerrada.

Tarzán movió el cerrojo y empujó la pesada puerta. Justo lo que temían. La cabaña estaba desierta.

Los dos hombres se miraron. D'Arnot comprendió que los suyos le creían muerto; pero Tarzán solamente pensaba en la mujer que le había besado enamorada y que lo abandonaba mientras él estaba cuidando a uno de los suyos.

Su corazón se llenó de amargura. Se marcharía lejos, al interior de la selva a reunirse con su tribu. No quería volver a ver a nadie de su propia especie ni quería volver a la cabaña. La dejaría para siempre, llena de todas las esperanzas que había puesto en el posible encuentro y contacto con su propia raza para llegar a ser un hombre entre los hombres.

¿Y el francés? ¿Qué pasaría con D'Arnot? Ya se arreglaría igual que se había arreglado Tarzán. No quería volver a verlo. Quería alejarse de todo lo que le recordara a Jane.

Mientras Tarzán permanecía en el umbral rumiando sus pensamientos, D'Arnot había entrado en la cabaña. Vio que habían dejado muchas cosas. Pudo reconocer varios objetos pertenecientes al crucero: un hornillo de campaña, utensilios de cocina, un fusil con gran cantidad de munición, comida en conserva, mantas, dos sillas y un chaquetón; libros y periódicos, en su mayoría americanos.

"Parece que tienen previsto volver", pensó D'Arnot.

Se acercó a la mesa que John Clayton había construído hacía muchos años y sobre ella vió dos misivas dirigidas a Tarzán de los Monos.

Una de ellas tenía una caligrafía acusadamente masculina y estaba abierta, la otra era de una mujer y estaba cerrada.

"Aquí hay dos mensajes para ti, Tarzán", dijo D'Arnot, volviéndose hacia la puerta; pero su compañero ya no estaba allí.

Salió y miró fuera. No vio a Tarzán por ninguna parte. Gritando con toda la fuerza de sus pulmones lo llamó, pero no obtuvo respuesta.

"*¡Mon Dieu!*", exclamó, "se fue. Volvió a su selva y me dejó solo".

Entonces recordó la expresión de Tarzán al descubrir que la cabaña estaba vacía: ¡la expresión de un animal herido de muerte!

Que el hombre-mono estaba muy afectado, era fácil de notar, pero D'Arnot no comprendía por qué.

El francés miró a su alrededor. La soledad y lo siniestro de aquel lugar empezaba a atacarle los nervios, ya bastante deteriorados por todos los sufrimientos pasados.

Allí solo al lado de la terrible selva. Nunca más volvería a oír una voz humana ni ver un rostro amigo, siempre bajo la amenaza constante de las fieras salvajes y de hombres aún más salvajes, presa de la soledad y la desesperación. ¡Era horrible!

En dirección al este, Tarzán de los monos iba al encuentro de su tribu. Nunca había marchado con tanta rapidez. Se daba cuenta de que huía de sí mismo; al moverse con aquellos rápidos saltos quería escapar de sus propios pensamientos. Pero era inútil los pensamientos seguían su marcha.

Pasó por encima de la sinuosa Sabor, la leona, que iba en dirección opuesta, hacia la cabaña, pensó.

¿Qué podría hacer D'Arnot contra Sabor, o contra Bolgani, el gorila, si se encontraba con ellos, o contra Numa, el león, o contra el sanguinario Sheeta?

Tarzán detuvo su carrera.

"¿Qué eres, Tarzán?", se preguntó en voz alta. "¿Un mono o un hombre? Si eres un mono harás lo que hacen los monos, dejar a uno de los tuyos abandonado a su suerte si te apetece ir a otra parte. Si eres un hombre tienes que volver a proteger a tu especie. No puedes abandonar a tu propia gente tan sólo porque uno de ellos te abandonó".

D'Arnot cerró la puerta de la cabaña. Estaba muy nervioso. Incluso los hombres valientes, y D'Ardnot lo era, se sienten a veces asustados por la soledad.

Cargó el rifle y lo puso a su alcance. Se sentó a la mesa y cogió la nota abierta dirigida a Tarzán, con la esperanza de tener noticias de su gente. Le parecía que no cometía ninguna falta grave leyendo aquella carta, y abriendo el sobre empezó a leer:

A Tarzan de los Monos:

Le agradecemos el uso que nos ha permitido hacer de su cabaña y sentimos no haber tenido el placer de verlo para darle las gracias personalmente.

No hemos estropeado ninguna de sus cosas, pero le dejamos varios objetos que pueden hacer más cómoda y segura su existencia en su solitario hogar.

Si conoce al extraño hombre blanco que salvó nuestras vidas en tantas ocasiones y que nos ha proporcionado alimento tantas veces, y si puede hablar con él, le ruego agradezca su amabilidad de nuestra parte.

Partimos dentro de una hora, para no volver más; pero deseamos que tanto usted como el otro amigo de la selva sepan que les agradeceremos eternamente lo que han hecho por los extranjeros que llegaron a su playa, y que de haber tenido oportunidad hubiéramos pagado más cumplidamente sus atenciones.

Con todos mis respetos
WM. Cecil Clayton

"Para no volver más", murmuró D'Arnot, y se dejó caer desanimado sobre el camastro.

Al cabo de una hora se puso tenso al oír un ligero ruído. Algo estaba al otro lado de la puerta intentando entrar.

D'Arnotd empuñó el rifle y se lo echó a la cara.

Estaba anocheciendo y en el interior de la cabaña la

oscuridad era casi absoluta, pero el hombre pudo ver cómo se movía el cerrojo. Sintió que se le ponían los pelos de punta.

Suavemente la puerta se fue abriendo hasta dejar ver una figura enmarcada en el quicio.

D'Arnot dirigió el cañón del arma hacia la puerta y apretó el gatillo.

24. EL TESORO PERDIDO

Al regresar la expedición de su infructuosa marcha en busca de D'Arnot, el capitán Dufranne pensó en hacerse a la mar lo antes posible y con excepción de Jane todos estuvieron de acuerdo.

"No", dijo ella resuelta. "Yo no me voy, ni deberían hacerlo ustedes, pues en esa selva hay dos amigos que volverán con la esperanza de encontrarnos. Uno de ellos es el oficial de su barco y el otro es el hombre de la selva que nos ha salvado la vida. Tan pronto como me dejó a salvo, hace dos días, corrió en ayuda de mi padre y de Mr. Clayton, eso era lo que él creía, y estoy segura que rescató al teniente D'Arnot. Si no hubiera sido capaz de salvar al teniente ya habría regresado; el hecho de que no lo haya hecho indica que o bien el teniente está herido o que ha tenido que perseguir a sus secuestradores a algún lugar más lejos que el poblado que ustedes han atacado".

"Pero el uniforme del pobre D'Arnot y todo lo que llevaba encima fue encontrado en el poblado, Miss Porter", razonó el capitán, "Y los indígenas se excitaron mucho cuando se les preguntó por el hombre blanco".

"Sí, capitán, pero no admitiron en ningún momento que lo hubieran matado, y en lo que respecta al uniforme, incluso gentes más civilizadas que esos pobres negros despojan a sus prisioneros de todas sus pertenencias tanto si intentan matarlos como si no. Incluso los soldados sudistas despojaban tanto a muertos como vivos. Admito que la prueba es bastante reveladora, pero no la considero definitiva".

"También existe la posibilidad de que el hombre de la selva haya sido capturado y muerto por los indígenas", sugirió el capitán Dufranne.

La joven rio.

"Usted no lo conoce bien", replicó con un ligero tonillo de orgullo, como si estuviera hablando de ella misma.

"Tengo que admitir que quizás valga la pena esperar a ese superhombre", dijo riendo el capitán. "Me gustaría conocerlo".

"Entonces espere, capitán", dijo Jane, "porque eso es lo que voy a hacer yo".

Si el francés hubiera sospechado los verdaderos sentimientos de la joven se hubiera sentido muy sorprendido.

Mientras hablaban habían estado caminando por la playa y después se unieron al pequeño grupo que estaba sentado en sillas de campaña a la sombra de un gran árbol al lado de la cabaña.

Allí estaban el Profesor Porter, Mr. Philander, Clayton, el teniente Charpentier y otros dos oficiales. Esmeralda se movía de un lado para otro dando opiniones aquí y allá con esa familiaridad que caracteriza a los sirvientes de confianza.

Los oficiales se pusieron en pié y saludaron a su superior y Clayton cedió su silla a Jane.

"Estábamos hablando del infortunio del pobre Paul", dijo el capitán Dufranne. "Miss Porter insiste en que no tenemos evidencia suficiente de su muerte; y de hecho así es. La señorita mantiene la teoría de que la prolongada ausencia de su omnipotente amigo selvático implica que D'Arnot sigue necesitando de su ayuda por que está herido, o porque aún sigue prisionero en otro poblado más al interior".

"Aquí se ha hecho la sugerencia", dijo el teniente Charpentier, "de que el hombre salvaje puede ser un miembro de la tribu de negros que nos atacó y que en realidad fué a ayudarlos a *ellos;* su propia gente".

Jane miró agresivamente a Clayton.

"Eso no deja de parecer muy posible", dijo el Profesor Porter.

"No estoy de acuerdo con usted", objetó Mr. Philander. "Tuvo todas las oportunidades que quiso para hacernos daño, o para conducir a su gente hasta nosotros. Sin embargo, durante nuestra dilatada permanencia en este lugar, una y otra vez se comportó como un auténtico amigo y protector".

"Eso es cierto", observó Clayton. "sin embargo, no podemos olvidar el hecho de que con excepción de él, en cientos de kilómetros a la redonda no hay más que caníbales y el va armado exactamente igual que ellos, lo que indica que mantiene algun tipo de relación, y esas relaciones, siendo él uno solo contra, posiblemente, miles, no pueden ser más que de amistad".

"Sí, parece muy improbable que no esté relacionado con ellos", dijo el capitán; "posiblemente es un miembro de la tribu".

"De otra forma resultaría inexplicable", añadió otro de los oficiales, "el que hubiera podido sobrevivir tanto tiempo en esta selva llena de peligros y aprender el manejo de las armas africanas".

"Ustedes lo juzgan de acuerdo con sus puntos de vista, caballeros", dijo Jane. "Un hombre blanco normal como ustedes, es más, un hombre blanco con unas características físicas e intelectuales superiores a las normales, nunca podría sobrevivir, más de un año, desnudo y solo, en esta selva tropical; pero entre este hombre y un hombre normal hay la misma diferencia que entre el atleta más completo y un niño de un año; y su ferocidad en la pelea sobrepasa la de cualquier fiera salvaje".

"En usted tiene un defensor de lo más leal, Miss Porter", dijo el capitán Dufranne, riendo. "Estoy seguro que cualquiera de los que estamos aquí afrontaría la muerte mil veces para merecer los elogios de una admiradora tan leal y bella".

"No se extrañaría de mi defensa", contesto la joven, "si lo hubiera visto, como yo lo vi, luchando con aquel enorme y salvaje mono. Verlo cargar contra el monstruo con el ímpetu de un toro, sin asomo de temor ni dudar un instante. Parecía sobrehumano. Ver sus poderosos músculos tensándose y tratando de evitar los terribles colmillos. También usted lo hubiera creído invencible. Y si le hubiera prodigado a usted las mismas atenciones que me dedicó a mí, una joven extranjera de otra raza, sentiría la misma admiración que yo siento".

"Usted gana, mi joven y bella solicitante", contestó el capitán. "Este juzgado considera al acusado inocente, y el crucero esperará unos días más para darle la oportunidad de volver y agradecerle todo lo que ha hecho".

"Por el amor de Dios", dijo Esmeralda. "¿Quieren decir que vamos a seguir en este terrible lugar lleno de animales carnívoros, ahora que tenemos la oportunidad de irnos? No puedo creerlo".

"Vamos, Esmeralda, deberías avergonzarte. ¿Es así como agradeces el que ese hombre te haya salvado la vida dos veces?, dijo Jane.

"Bueno, Miss Jane, lo que dices es cierto; pero el hombre de la selva no salvó nuestras vidas para que nos quedaramos aquí. Si lo hizo fue para darnos la oportunidad de escapar. Y creo que se sentirá muy sorprendido cuando vea que tuvimos la poca sensatez de quedarnos después de todo lo que hizo por nosotros. Esperaba no tener que pasar otra noche más en este jardín geológico escuchando todos esos angustiosos ruidos y voces que vienen de la selva".

"Comprendo lo que siente, Esmeralda", dijo Clayton, "y ciertamente dio en el blanco cuando dijo lo de *angustiosos ruidos*. Esa es la definición que mejor se les ajusta, angustiosos ruidos".

"Será mejor que usted y Esmeralda vayan a vivir al crucero", observó Jane burlona". Me pregunto qué haría usted si tuviera que vivir toda la vida en la selva igual que nuestro protector".

"Creo que sería un arborícola desastroso", replicó Clayton riendo. "Esos ruidos nocturnos me ponen los pelos de punta. Supongo que debería avergonzarme de confesarlo, pero esa es la verdad".

"No sé", dijo el teniente Charpentier. "Nunca se me ocurrió pensar en el miedo; nunca pasó por mi imaginación el tratar de saber si era un valiente o un cobarde;

pero la noche pasada, mientras dormíamos en la selva al oír esos ruidos entre la espesura, empecé a pensar que era un cobarde. Lo que me atemorizaba no eran los rugidos de las fieras, sino los sonidos furtivos —esos que se perciben cerca de uno, y que al poner atención desaparecen. Ese es el tipo de sonidos y murmullos que me hicieron estremecer. Eso y el brillo de los ojos que espiaban nuestros movimientos. "¡Mon Dieu! Nunca podré olvidar la sensación de esos ojos que uno no ve, pero que presiente. Quizás fue lo peor".

Se hizo el silencio por un momento y entonces habló Jane.

"Y él está ahí", dijo como en un susurro. "Esos ojos lo estarán observando, a él y a su compañero el teniente D'Arnot. ¿Van a abandonarlos sin ofrecerles unos cuantos días más la pasiva ayuda de la espera?"

"Mira, niña", dijo el Profesor Porter, "el capitán Dufranne dice que esperará, y yo por mi parte también estoy dispuesto a hacerlo. Como siempre, cumplo tus caprichos".

"Podemos aprovechar la mañana para recuperar el arca, Profesor", sugirió Mr. Philander.

"Es cierto, Mr. Philander, casi había olvidado lo del tesoro", exclamó el Profesor Porter. "Posiblemente podamos contar con la ayuda de algunos hombres del capitán Dufranne y de uno de los prisioneros para que localice el lugar donde enterraron el cofre".

"Por descontado, Profesor, estamos a su entera disposición", dijo el capitán.

Acordaron que al día siguiente el teniente Charpentier iría con un grupo de diez hombres y uno de los amotinados del *Arrow* como guía, para desenterrar el tesoro. Esperarían una semana y si D'Arnot no apareció lo darían definitivamente por muerto, dando por hecho que el hombre de la selva no haría acto de presencia mientras hubiera tanta gente en torno a la cabaña.

El Profesor Porter no acompañó al grupo en busca del tesoro, pero cuando vio que regresaban con las manos vacías al caer la tarde, se apresuró a ir a su encuentro.

Su indiferencia habitual se desvaneció por completo dando paso a un estado de gran agitación.

"¿Dónde está el tesoro?", le preguntó a Clayton, cuando aún estaban a cierta distancia.

Clayton hizo un gesto desilusionado.

"Desapareció", dijo mientras se acercaba.

"¡Eso no puede ser! ¿Quién se lo ha podido llevar?", exclamó el Profesor Porter.

"Sólo Dios lo sabe, Profesor", replico Clayton. "Al principio creímos que el hombre que nos guió al lugar mentía, pero su sorpresa y frustración al ver que debajo del cadáver no estaba el cofre, eran tan auténticas que nos convenció. Ademas, al excavar vimos que *algo* había sido enterrado bajo el cuerpo, porque habían removido la tierra".

"¿Pero quién lo ha podido coger?", repitió el Profesor Porter.

"En hipótesis las sospechas pueden caer sobre los marineros del crucero", dijo el teniente Charpentier, "pero el subteniente Janviers afirma que ninguno de los hombres tuvo permiso para abandonar el barco, y que nadie bajó a tierra si no fue en servicio y bajo el mando de un oficial".

"Nunca se me hubiera pasado por la imaginación sospechar de sus hombres, teniente", replicó el Profesor Porter. "Como tampoco sospecharía de mis amigos Clayton y Mr. Philander".

Los marineros y oficiales franceses sonrieron, como aliviados de la remota posibilidad de que en algún momento hubieran podido sospechar de ellos.

"Todo hace suponer que el tesoro ha desaparecido ya hace algún tiempo", siguió diciendo Clayton, "porque el cuerpo se descompuso totalmente cuando lo levantamos, aunque estaba intacto en el momento de descubrirlo".

"Tuvieron que hacerlo entre varios", dijo Jane, que se les había unido. "Me acuerdo de que lo tuvieron que transportar entre cuatro hombres".

"¡Cielos!, es cierto. Seguramente lo hizo un grupo de

negros, alguno debió de ver cómo enterraban el cofre y fue a buscar a varios de los suyos para llevárselo", exclamó Clayton.

"Las especulaciones no conducen a ninguna parte", dijo el Profesor Porter tristemente. "Lo cierto es que el cofre ha desaparecido y que no volveremos a recuperarlo".

Jane sabía lo que la pérdida del tesoro significaba para su padre, pero nadie sabía lo que significaba para ella.

Seis días más tarde el capitán Dufranne anunció que saldrían al día siguiente por la mañana temprano.

Jane hubiera solicitado que esperaran algo más, pero también ella empezaba a dudar de la vuelta de su selvático amor. A pesar de sus sentimientos, empezaba a albergar sus dudas. La lógica de los razonamientos de aquellos desinteresados oficiales franceses empezaba a convencerla.

Estaba segura, de que no era un caníbal, pero también era posible que fuera miembro adoptivo de alguna tribu primitiva.

No podía admitir que hubiera muerto. Le parecía imposible que aquel perfecto cuerpo lleno de vitalidad pudiera dejar de existir nunca.

Por una parte Jane razonaba así, pero por otra parte empezaban a tomar cuerpo otros pensamientos.

Si pertenecía a una tribu salvaje seguramente tenía esposa —incluso quizás tenía varias— e hijos. La joven se estremeció, y cuando oyó que el crucero partiría al día siguiente casi se alegró.

De todas formas fue ella la que tuvo la idea de dejar armas y municiones y otros objetos para aquel ser invisible que se hacía llamar Tarzán de los Monos y para D'Arnot, en caso de que aún estuviera con vida, pero en realidad pensaba en su dios de la selva —aún cuando no fuera más que el ídolo con pies de barro que ella había soñado.

En el último momento dejó un mensaje para él, esperando que Tarzán de los Monos se lo entregaría.

Dando una disculpa volvió un momento a la cabaña cuando ya los otros empezaban a embarcar en los botes.

Se arrodilló al lado de la cama en la que había dormido tantas noches y ofreció una oración por la seguridad de su hombre primitivo, y besando el medallón que él le había dado, dijo para sus adentros:

"Te amo, y por que te amo creo en ti. Pero aunque no creyera en ti, te seguiría amando. Si hubieras vuelto a buscarme, no hubiera dudado en irme contigo a la selva, para siempre".

25. EN LAS FRONTERAS DE LA CIVILIZACION

Después de disparar D'Arnot vió cómo la puerta se abría violentamente bajo el peso de una figura humana que caía de bruces al suelo.

El francés iba a disparar de nuevo sobre el caído cuando de pronto en la débil claridad vio que se trataba de un hombre blanco, e inmediatamente comprendió que había disparado sobre su amigo y protector, Tarzán de los Monos.

Con un grito de angustia D'Arnot se precipitó al lado del hombre-mono y poniéndose de rodillas le levantó la cabeza llamándolo por su nombre.

No obtuvo respuesta, entonces D'Arnot apoyó el oído sobre el pecho de Tarzán. Para su satisfacción oyó que el corazón latía normalmente.

Con cuidado arrastró a Tarzán hasta el lecho y, después de haber cerrado y atrancado la puerta, encendió una de las lámparas y examinó la herida.

La bala había tocado de refilón el cráneo. Era una fea herida, pero no se apreciaban signos de fractura.

D'Arnot respiró aliviado y lavó la sangre que cubría la cara de su amigo.

Con el frescor del agua Tarzán no tardó en reanimarse y al abrir los ojos miró entre inquisitivo y sorprendido a D'Arnot.

Este último había vendado la herida con trozos de tela y al ver que Tarzán recobraba el conocimiento se dirigió a la mesa y escribió una nota explicándo al hombre-mono su error y la alegría que sentía porque la herida era solamente superficial.

Tarzán se sentó en el borde de la cama y después de leer la nota rompió a reír.

"No tiene importancia", dijo en francés, y entonces, como le faltaban las palabras, escribió:

Tenías que haber visto lo que Bolgani y Kerchak y Terkoz me hicieron antes de que lograra matarlos. Comparado con aquello, este pequeño rasguño es cosa de risa.

D'Arnot entregó a Tarzán las dos cartas que habían dejado para él.

Tarzán leyó la primera y se entristeció algo. A la segunda empezó a darle vueltas y más vueltas para encontrar la forma de abrirla —nunca había visto un sobre cerrado—. Al final se la dio a D'Arnot.

El francés había estado observando, y comprendió que Tarzán estaba intrigado con el sobre. Le resultaba extraño que un simple sobre cerrado pudiera ser un enigma para un hombre hecho y derecho. D'Arnot abrió el sobre y devolvió la carta a Tarzán.

Sentándose en una de las sillas de campaña, el hombre-mono leyó:

A Tarzán de los Monos:

Antes de partir quiero unirme en su agradecimiento a Mr. Clayton, por la amabilidad que ha demostrado al permitirnos utilizar su cabaña.

Sentimos nc haber llegado a conocerle. Nos hubiera gustado mucho mostrarle nuestro agradecimiento en persona.

También hay otra persona a la que me hubiera gustado dar las gracias, pero no hemos vuelto a verlo, aunque no creo que haya muerto.

No sé su nombre. Es el gigante blanco que llevaba un medallón de oro.

Si usted lo conoce y habla su lengua déle las gracias de mi parte y dígale que hemos estado esperando su regreso durante siete días.

Dígale también que en mi casa de América, en la ciudad de Baltimore, siempre será bien recibido si algún día decide hacernos una visita.

He encontrado al lado de la cabaña una nota escrita por usted. No me imagino como ha llegado a amarme sin haber hablado nunca conmigo, y si es cierto lo siento sinceramente, porque ya he puesto mi amor en otra persona.

Pero sepa que contará siempre con mi amistad.

Jane Porter

Tarzán se quedó mirando al suelo durante casi una hora. Por aquella carta se veía claramente que él y Tarzán de los monos no eran la misma persona.

"He puesto mi amor en otra persona", repetía para sus adentros una y otra vez.

Entonces no lo amaba. Había estado disimulando, haciéndole concebir esperanzas para después huir.

Quizás sus besos no fueran otras cosas que muestras de amistad ¿Cómo saberlo, si desconocía totalmente las costumbres de los hombres?

Se levantó y dándo las buenas noches a D'Arnot, como había aprendido, se echó sobre el camastro de helechos que había utilizado Jane Porter.

D'Arnot pagó la lámpara y se acostó en la otra litera.

Durante una semana casi no hicieron otra cosa que descansar y dedicar todas las horas a que Tarzán aprendiera francés. Al cabo de aquel tiempo los dos hombres ya podían conversar bastante bien.

Una noche antes de acostarse, Tarzán se dirigió a D'Arnot.

"¿Dónde es América?"

D'Arnot levantó un brazo y señaló hacia el Noroeste.

"A muchos miles de kilómetros de aquí, al otro lado del Océano", contestó, "¿Por qué lo preguntas?

"Voy a ir allí".

D'Arnot movió pensativo la cabeza.

"Eso es imposible, amigo mío", dijo.

Tarzán se puso en pie, fue a una de las estanterías y volvió con un libro de geografía.

Abriéndolo en un mapamundi, dijo:

"Nunca comprendí muy bien esto; explícamelo, ¿quiéres?"

D'Arnot lo hizo diciéndo que lo que estaba en azul representaba las partes de agua que había en la Tierra y los otros colores eran los continentes y las islas. Tarzán le pidió que le dijera donde estaban ellos ahora.

D'Arnot lo hizo.

"Ahora señálame América", dijo Tarzán.

Y D'Arnot puso su dedo sobre Norteamérica. El hombre-mono sonrió y plantó la palma de la mano sobre el mapa cubriendo los dos continentes.

"No es tan lejos, ni siquiera la mitad de mi mano", dijo.

D'Arnot se echó a reír. ¿Cómo podría hacerselo comprender?

Entonces cogió un lápiz e hizo un punto diminuto en la costa de Africa.

"Esta marquita", dijo, "es miles de veces más grande en el mapa que tu cabaña. ¿Comprendes ahora lo lejos que es?

Tarzán se quedó pensativo.

"¿Viven hombres blancos en Africa?", preguntó.

"Sí".

"¿Dónde están los más próximos?"

D'Arnot señaló un punto al norte de donde se encontraban ellos.

"¿Tan cerca?", preguntó Tarzán sorprendido.

"Sí," respondió D'Arnot, "pero no es tan cerca".

"¿Hay barcos grandes para cruzar el Océano?"

"Sí".

"Mañana nos vamos", dijo Tarzán decidido.

D'Arnot volvió a sonreír moviendo la cabeza.

"Hay demasiada distancia. Moriríamos mucho antes de llegar".

"¿Prefieres quedarte aquí para siempre?", preguntó Tarzán.

"No", dijo D'Arnot.

"Entonces nos vamos mañana. Esto ya no me gusta, prefiero la muerte a quedarme aquí un día más".

"Bueno", dijo D'Arnot encogiéndose de hombros. "No sé, pero me parece que también yo prefiero morir antes que permanecer aquí. Si tú te vas, te acompaño".

"Entonces de acuerdo", dijo Tarzán. "Mañana emprendo mi camino hacia América".

"¿Cómo vas a ir a América sin dinero?", le preguntó D'Arnot.

"¿Que es dinero?", contestó Tarzán.

A D'Arnot le llevó bastante tiempo explicarle someramente lo que era el dinero.

"¿Cómo se consigue el dinero?", volvió a preguntar el hombre-mono.

"Trabajando".

"Bueno, pues entonces trabajaré para conseguirlo".

"No, amigo mío", le dijo D'Arnot. "No tienes que preocuparte, no tendrás que trabajar. Yo tengo dinero bastante para los dos—, incluso para veinte—. Mucho más de lo que necesito y si llegamos a la civilización algún día, podrás tener cuanto precises".

Al día siguiente iniciaron su peregrinación hacia el norte siguiendo la costa. Llevaban un rifle cada uno, mantas, algunas provisiones y utensilios de cocina.

Esto último le pareció a Tarzán inútil e incómodo y se deshizo de los suyos.

"Tienes que aprender a cocinar", le amonestó D'Arnot. "Ningún hombre civilizado come carne cruda".

"Ya habrá tiempo cuando llegue a la civilización", dijo Tarzán. "Esas cosas no me gustan, estropean el sabor de la carne".

Anduvieron durante un mes, unas veces encontraban comida en abundancia y otras pasaban hambre durante varios días.

Su viaje fue bastante tranquilo, no se encontraron ni con tribus hostiles ni fueron molestados por las fieras.

Tarzán preguntaba cosas continuamente y aprendía con gran rapidez. D'Arnot le iba explicando algunos de los refinamientos de la civilización, incluso el manejo del tenedor y el cuchillo, pero Tarzán los dejaba a un lado y cogía la comida con las manos, desgarrando la carne con sus fuertes dientes como un animal salvaje.

Entonces D'Arnot lo reprendía diciéndo:

"No puedes comer así, Tarzán. Estoy tratando de hacer de ti un caballero *¡Mon Dieu!* Los caballeros no comen así, como los animales ¡Eres imposible!"

Con un gruñido Tarzán volvía a coger el tenedor y el cuchillo, pero en el fondo los odiaba.

Durante el viaje contó a D'Arnot lo del gran cofre que había visto enterrar, cómo lo había desenterrado y transportado al anfiteatro donde se reunían los grandes monos para esconderlo allí.

"Seguramente era el tesoro del Profesor Porter", dijo D'Arnot. "Es una pena que no lo hubieras sabido".

Entonces Tarzán se acordó de la carta que Jane había escrito a su amiga, aquella carta que él había robado el primer día que pasaran en su cabaña, ahora sabía lo que había en el cofre y que era muy importante para Jane.

"Mañana iremos a por él", le dijo a D'Arnot.

"¿Volver atrás?", exclamó el francés. "Pero, mi querido amigo, llevamos cuatro semanas de viaje, nos llevaría otras tantas volver a por el tesoro y después, con el peso tan enorme del cofre, que según tú tuvieron que transportar entre cuatro, nos llevaría meses llegar a donde estamos ahora".

"Hay que hacerlo", insistió Tarzán. "Tú puedes seguir andando hasta la civilización y yo volveré a buscar el tesoro. Solo iré mucho más aprisa".

"Tengo un plan mejor, Tarzán", exclamó D'Arnot. "Seguiremos hasta el primer puesto fronterizo allí podremos fletar un barco para volver por mar, de esa forma lo transportaremos más fácilmente. Será más seguro y rápido, y no tendremos que separarnos ¿Qué te parece?"

"Creo que está bien", dijo Tarzán. "El tesoro seguirá en su sitio sin moverse. Yo podría ir por él y estar de vuelta en una o dos lunas, pero estaré más tranquilo yendo contigo que si te dejo continuar solo. A veces me pregunto cómo es posible que la raza humana no haya sido aniquilada durante todos esos siglos que tú hablas.

Sabor sola podría exterminar a miles de personas sin grandes problemas".

D'Arnot se rió.

"Pensarás de otra forma cuando veas los ejércitos de tu especie, sus ciudades y sus grandes obras de ingeniería. Entonces te darás cuenta de que es la inteligencia y no los músculos lo que hace que el animal humano sea superior a las grandes bestias de tu selva. Solo y desarmado, un hombre no es enemigo para ninguna fiera; pero diez hombres combinarían su fuerza e inteligencia contra el enemigo común, en tanto que los animales no son capaces de razonar y por lo tanto nunca se les ocurriría pensar en unirse contra el hombre. Si fuera de otra forma, Tarzán de los Monos, ¿cuánto tiempo crees que hubieras podido sobrevivir en la selva?"

"Tienes razón, D'Arnot", replicó Tarzán, "porque si Kerchak hubiera ayudado a Tublat aquella noche en el Dum-Dum, hubieran acabado conmigo. Pero a Kerchak nunca se le hubiera pasado por su pequeño cerebro aprovecharse de aquella oportunidad que se le presentaba. Ni siquiera Kala, mi madre, pensaba en el futuro. Comía lo que necesitaba y cuando lo necesitaba, y si había escasez, aún en el caso de que hubiera podido encontrar alimento suficiente para hacer varias comidas, nunca se le hubiera ocurrido reservarlo. Me acuerdo que solía burlarse de mí, cuando yo iba cargado con alguna comida extra durante las marchas, aunque se alegraba de compartirla conmigo si no encontrábamos alimento".

"¿Sabes quién es tu madre?", preguntó D'Arnot intrigado.

"Sí, claro. Era una mona grande y hermosa que pesaba casi el doble que yo".

"¿Y tu padre?", preguntó D'Arnot.

"No lo conocí. Kala me dijo que había sido un mono blanco sin pelo, como yo. Ahora me doy cuenta de que tuvo que ser un hombre blanco".

D'Arnot se quedó mirando seriamente a Tarzán.

"Tarzán", dijo, "es imposible que la mona Kala fuera tu madre. Si tal cosa pudiera suceder, lo que dudo, tu habrías heredado alguna caracteristíca de los monos, pero no es así tu eres un hombre de pura raza y, es más, yo diría que desciendes de unos padres inteligentes y de buena cuna ¿No tienes ninguna otra idea sobre tu pasado?"

"No, ninguna", replicó Tarzán.

"No había nada en la cabaña, ningún escrito, que informara sobre sus primeros ocupantes?"

"He leído todo lo que había en la cabaña, con excepción de un libro que está escrito en una lengua que no es inglés. Quizás tu puedas leerlo".

Tarzán sacó el pequeño libro negro del carcaj y se lo entregó a su compañero.

D'Arnot leyó el título.

"Es el diario de John Clayton, Lord Greystoke, un noble inglés, y está escrito en francés", dijo.

Entonces procedió a leer aquel diario escrito hacía más de viente años y en el que se registraban todos los detalles de la historia que ya conocemos, las desventuras del infortunado John Clayton y su esposa Alice, desde el día en que salieron de Inglaterra hasta poco antes de haber sido destrozado por Kerchak.

D'Arnot leyó en voz alta. En algunos pasajes la emoción lo embargaba y tenía que hacer una pausa, por la sencilla y patética descripción de los hechos.

Ocasionalmente miraba a Tarzán, pero el hombre-mono estaba sentado de cuclillas, inmóvil como una estatua, con los ojos fijos en el suelo.

Tan sólo cuando hacía referencia al recién nacido, se notaba una ligera variación del tono de desesperación que era habitual en todo el relato desde el segundo mes de su arribada a la costa.

En esas ocasiones había cortos pasajes que denotaban cierta felicidad y que hacía aún más triste toda la historia.

En uno de los pasajes se notaba incluso cierta esperanza:

Nuesto hijito cumple hoy seis meses. Está en el regazo de Alice, al lado de la mesa sobre la que escribo. Es un niño alegre, sano y hermoso.

No sé por qué, pero en contra de toda lógica, me parece verlo hecho un hombre, ocupando la plaza de su padre en la sociedad y colmando de honores la casa de los Greystoke.

Como augurando el feliz cumplimiento de mi sueño, ha cogido mi pluma y ha puesto sus manecitas entintadas sobre esta página.

En el margen de la página podían verse las huellas digitales semiborradas de cuatro diminutos dedos.

Cuando D'Arnot acabó su lectura los dos hombres permanecieron en silencio unos minutos.

"Bueno, Tarzán de los Monos, ¿qué te parece?", preguntó D'Arnot.

"Este librito aclara el misterio de tu ascendencia? Está claro que eres Lord Greystoke".

Tarzán movió la cabeza.

"El libro habla tan sólo de un niño", replicó. "Su esqueleto estaba en la cuna, donde murió llorando por falta de alimento. Ya estaba allí el día que entré por primera vez en la cabaña, y siguió allí hasta que el Profesor Porter y sus compañeros lo enterraron con sus padres. Ese era el niño del que habla el libro; el misterio de mi origen se complica cada vez más, porque últimamente pensé bastante en la posibilidad de que la cabaña fuera el lugar de mi nacimiento y ahora esa posibilidad queda eliminada. Creo que Kala decía la verdad", concluyó en tono triste.

D'Arnot movió la cabeza. No acababa de convencerse y se convenció de que su teoría era correcta y quería comprobarla, ya que tenía una clave que podía desvelar el enigma o dejarlo para siempre hundido en el oscuro pozo de lo insondable.

Una semana más tarde llegaron a un claro en la selva.

En la lejanía se veían varios edificios rodeados de una

bien construida empalizada. Entre ellos y el recinto fortificado había unos sembrados en los que trabajaban varios negros.

Se pararon en la línea de la selva.

Tarzán puso una flecha en su arco, pero D'Arnot le cortó la acción poniendo una mano en su brazo.

"¿Qué vas a hacer, Tarzán?", preguntó.

"Si nos ven intentarán matarnos", replicó Tarzán. "Prefiero ser yo el que mate primero".

"A lo mejor son amigos", dijo D'Arnot.

"Son negros", fue lo único que contestó Tarzán.

Y volvió a tensar el arco.

"No debes hacerlo, Tarzán", dijo el francés alarmado. "Los blancos no matan injustificadamente *¡Mon Dieu!* Te queda mucho por aprender. Compadezco al rufián que se te enfrente, mi salvaje amigo, cuando lleguemos a París. Me voy a tener que pasar el tiempo tratando de salvar tu cuello de la guillotina".

Tarzán bajó el arco y dijo sonriendo:

"No comprendo por qué puedo matar negros en mi jungla y aquí no. Imagínate que nos atacara Numa, el león, supongo que tendría que decirle: ¡Oh buenos días Monsieur Numa! ¿Cómo está Madame Sabor?"

"Espera a que los negros salten sobre ti", replicó D'Arnot, "entonces puedes matarlos. Pero no des por sentado que son tus enemigos antes de comprobarlo".

"Adelante", dijo Tarzán", vamos a presentarnos para que nos maten", y echó a andar explanada adelante, con la cabeza alta y su bronceado cuerpo brillando bajo la fuerte luz del sol.

A continuación seguía D'Arnot, vestido con unas prendas que Clayton había dejado en la cabaña al haber recibido alguna ropa más presentable de uno de los oficiales del crucero.

Uno de los negros levantó la cabeza y al ver a Tarzán echó a correr gritando hacia la empalizada.

Los otros agricultores siguieron su ejemplo y también corrieron a buscar refugio, pero antes de que llegaran a ella, un hombre blanco empuñando un rifle salió del recinto.

Lo que vio le hizo echarse el rifle a la cara y Tarzán de los Monos hubiera vuelto a probar el ardiente plomo si D'Arnot no hubiera gritado al hombre del rifle:

"¡No dispare! ¡Somos amigos!"

"¡Entonces quédense donde están!", fue la respuesta del hombre.

"Para, Tarzán!", dijo D'Arnot, "cree que somos enemigos".

Tarzán y D'Arnot se acercaron lentamente al hombre blanco. Este los observaba intrigado.

"¿Qué clase de gente son ustedes?", preguntó en francés.

"Somos blancos", replicó D'Arnot "Llevamos mucho tiempo perdidos en la selva".

El hombre bajó el rifle y avanzó hacia ellos con la mano extendida.

"Soy el padre Constantine de la misión francesa", dijo. "Bien venidos".

"Este es Monsieur Tarzán, padre", replicó D'Arnot señalando al hombre-mono; añadió: y cuando el sacerdote le presentó su mano, D'Arnot añadió: "Yo soy Paul D'Arnot, de la marina francesa".

El padre Constantine estrechó la mano que Tarzán le ofrecía en imitación de lo que había hecho antes el sacerdote con su amigo.

Así llego Tarzán a la frontera de la civilización.

Permanecieron allí durante una semana, y el hombre-mono, un observador enormemente perspicaz, aprendió muchas cosas sobre el comportamiento de los hombres; las mujeres negras les hicieron alguna ropa para que pudieran continuar su marcha propiamente vestidos.

26. LA CUMBRE DE LA CIVILIZACION

Un mes más tarde llegaron a un pequeño grupo de edificios en la desembocadura de un gran río, allí pudo ver Tarzán muchos barcos y sintió más fuerte que nunca la timidez que los animales salvajes sienten ante la presencia del hombre civilizado.

Poco a poco se fue acostumbrando a los ruidos y a las extrañas costumbres de la vida civilizada, nadie hubiera dicho que hacía dos meses escasos aquel elegante francés de tan agradabie conversación, se paseaba desnudo por la selva acechando desde los árboles a sus víctimas para comer su carne cruda.

El cuchillo y el tenedor, que antes no quería ni ver, los manejaba con tanta soltura como el propio D'Arnot.

Era un alumno tan aplicado, qu el joven francés había logrado convertir a Tarzán de los Monos en un refinado caballero, por lo menos en apariencia exterior y conversación.

"Dios te ha hecho un caballero", solía decir D'Arnot, "pero tenemos que conseguir que eso se note en tu exterior".

Nada más llegar al pequeño puerto, D'Arnot telegrafió a su gobierno informando de que estaba vivo y a salvo, solicitando al mismo tiempo un permiso de tres meses, que le fue concedido.

También telegrafió a sus banqueros pidiéndoles dinero, y la forzada espera de un mes se debió a la imposibilidad de fletar un barco para volver a la selva de Tarzán a buscar el tesoro.

Durante su estancia en la pequeña ciudad costera, "Monsieur Tarzán" se convirtió en el asombro de blancos y negros a causa de varios sucesos a los que el hombre-mono no dio la menor importancia.

En una ocasión un fornido negro, enloquecido por la

bebida, andaba sembrando el pánico por las calles, hasta que su mala estrella lo llevó a donde se encontraba, recostado en una poltrona en el porche de su hotel el gigante francés.

El negro subió las escaleras empuñando un cuchillo y se dirigió directamente hacia un grupo de cuatro personas que estaban sentadas en una de las mesas bebiendo tranquilamente su ajenjo.

Con un grito de alarma, los cuatro escaparon corriendo y cuando el negro se volvió vió a Tarzán.

Dando un rugido se abalanzó contra el hombre-mono, en tanto que medio centenar de cabezas observaban desde la seguridad de sus ventanas el inminente acuchillamiento del pobre francés.

Tarzán esperó la acometida con la sonrisa que el placer de la pelea siempre ponía en sus labios.

Cuando el negro llegó a su altura, una garra de acero apresó la muñeca de la mano que empuñaba el cuchillo y haciendo un giro la mano quedó colgando del brazo partido.

Con el dolor y la sorpresa, se disipó la locura del hombre que, gritando de dolor, salió corriendo como un loco hacia el poblado indígena.

En otra ocasión en que Tarzán y D'Arnot estaban cenando con un grupo de blancos, la conversación se centro en los leones y en su caza.

Las opiniones sobre la bravura del rey de la selva estaban divididas, algunas decían que era un insigne cobarde, pero todos estaban de acuerdo en que se sentían más seguros si tenían un rifle en la mano cuando oían por la noche el rugido del rey de la selva.

D'Arnot y Tarzán habían acordado silenciar el pasado del segundo, y tan sólo el oficial francés estaba al tanto de la familiaridad del hombre-mono con las fieras de la selva.

"Monsieur Tarzán no nos ha dado su opinión", dijo uno de los del grupo de comensales. "Un hombre de su temple que ha vivido en Africa ha debido tener experiencias con leones, ¿me equivoco?"

"Sí, algunas", replicó Tarzán secamente. "Las suficientes como para saber que las dos opiniones son correctas dependiendo del tipo de león que cada uno de ustedes se haya encontrado. Pero juzgar a todos los negros por el infeliz borracho furioso del otro día o decir que todos los blancos son cobardes porque uno se ha encontrado un blanco cobarde, en un craso error. "Entre los animales, caballeros, ocurre como entre los hombres, hay diferentes tipos. Puede que hoy encontremos un león que es excesivamente tímido y huye de nosotros. Pero quizás mañana nos encontramos con su tío o con su hermano y nuestros amigos se preguntarán consternados por qué no hemos vuelto de la selva. Yo, por mi parte, siempre considero que un león es fiero, por eso nunca me cogerá descuidado".

"No comprendo qué placer puede haber en la caza", dijo el primero que había hablado, "si uno tiene miedo de la pieza que persigue".

D'Arnot sonrió. ¡Tener miedo Tarzán!

"No comprendo muy bien lo que quiere decir con eso de miedo", contestó Tarzán. "Al igual que los leones, el miedo es diferente en distintos hombres, para mí el único placer de la caza está en saber que la pieza acosada tiene tantas probabilidades de defensa como yo. Si saliera de caza con dos rifles, un ayudante para llevarme las armas y veinte o treinta ojeadores, tendría la sensación de que el león está totalmente indefenso y el placer de la caza decrecería en proporción inversa a mi seguridad".

"Eso es tanto como decir que Monsieur Tarzán prefiere internarse en la jungla desnudo y armado tan solo de un cuchillo para matar al rey de la selva", rió el otro de buen humor pero con un ligero tonillo irónico.

"Y un lazo", dijo Tarzán sin cambiar el tono de voz.

En ese momento se oyó el rugido de un león en la distante selva, como si estuviera lanzando un desafío a quien se atreviera a aceptarlo.

"Ahí tiene su oportunidad, Monsieur Tarzán", se burló el francés.

"No tengo hambre", dijo Tarzán con sencillez.

Todos rieron. Todos, menos D'Arnot, porque él era el único que sabía que por la boca del hombre-mono hablaba la razón de una fiera salvaje.

"Usted tiene tanto miedo de ir a la selva, desnudo y armado tan solo con un lazo y un cuchillo, como cualquiera de nosotros", dijo el burlón del grupo. "¿No es cierto?"

"No", replicó Tarzán. "Pero solamente los locos hacen las cosas sin motivo".

"Cinco mil francos son un motivo", dijo otro. "Le apuesto a usted ese dinero a que no es capaz de traernos un león de la selva en las condiciones que hemos hablado; desnudo y armado tan sólo con un cuchillo y un lazo".

Tarzán miró hacia D'Arnot e hizo una señal de asentimiento con la cabeza.

"Que sean diez mil", dijo D'Arnot.

"De acuerdo", replicó.

Tarzán se puso en pie.

"Dejaré la ropa a la salida del pueblo, para tener algo que ponerme si no vuelvo antes del amanecer".

"¿No pensará usted ir ahora por la noche?", preguntó el apostante.

"¿Por qué no?", respondió Tarzán. "Numa anda más descuidado por la noche. Será más fácil encontrarlo".

"No", dijo el otro, "no quiero su sangre sobre mi conciencia. Ya es suficiente locura hacerlo de día".

"Iré ahora", replicó Tarzán, y fue a su habitación en busca del cuchillo y del lazo".

El grupo lo siguió hasta el borde de la selva donde dejó su ropa en un pequeño almacén.

Se iba a internar en la espesura cuando trataron de disuadirlo una vez más; el apostador era el que más insistía en que dejara aquella locura.

"Doy por perdida la apuesta", dijo, "ha ganado usted los diez mil francos, pero no haga locuras. Va usted a una muerte segura".

Tarzán se rio y desapareció entre la maleza.

Los hombres se quedaron en silencio y poco a poco volvieron al hotel.

Tan pronto como Tarzán se internó en la selva subió a los árboles y empezó a sentir el placer de saltar libremente de rama en rama.

¡Aquella sí que era vida! ¡Cuánto amaba la selva! La civilización no podía compararse con aquello, tan llena de restricciones y convencionalismos. Incluso la ropa resultaba agobiante e incómoda.

Por fin era libre. Ahora se daba cuenta de que había estado como preso.

Qué fácil le resultaría llegar hasta la costa y desde allí, en dirección sur, volver a su propia selva y a la cabaña.

Percibió el olor de Numa, iba contra el viento y éste le traía el conocido olor. Ahora su fino oído le avisaba del sigiloso pisar de las patas y el rozar del enorme cuerpo del melenudo animal al pasar por entre la maleza.

Tarzán se situó encima del confiado felino y lo siguió sigilosamente hasta que llegó a un pequeño claro bañado por la pálida luz de la luna.

En ese momento el rápido lazo se ciñó en torno al robusto cuello, y, como había hecho infinidad de veces, Tarzán aseguró el otro extremo de la cuerda a una gruesa rama y, mientras la fiera se revolvía y forcejeaba buscando la libertad, se dejó caer sobre el gran lomo y hundió una docena de veces la larga hoja del cuchillo en el corazón del león.

Después, poniéndose de pie encima del cuerpo inerte de numa, lanzó al aire de la noche el estremecedor grito de victoria de su salvaje tribu.

Tarzán no sabía qué hacer, por una parte estaba su lealtad a D'Arnot, y por otra el irresistible deseo de volver a la libertad de la selva. Por fin la visión de un bello rostro y el cálido recuerdo de sus labios pudieron más que el encanto de su antigua existencia.

El hombre mono se echó a los hombres el cuerpo de Numa y se volvió a los árboles.

En el porche del hotel, el grupo había guardado silencio durante más de una hora.

Habían intentado, sin conseguirlo, hablar de distintos temas, pero la idea que les rondaba en la cabeza daba al traste con todo intento.

"*¡Mon Dieu!*", dijo por fin el apostador, "no puedo resistir más. Me voy a la selva con el rifle para hacer volver a ese loco".

"Te acompaño" dijo otro. "Y yo", dijeron varias voces casi a coro.

Como si la sugerencia hubiera roto el hechizo de una pesadilla insoportable, el grupo se dirigió a la selva a toda prisa; cada uno con su rifle.

"¡Cielos! ¿Qué ha sido eso?", dijo de pronto uno de la partida, un inglés, al oír el terrible grito lanzado por Tarzán.

"Conozco ese grito", dijo un belga, "lo oí en uno de mis viajes al país de los gorilas. Uno de mis porteadores me dijo que era el grito de un gran mono macho que había matado a su presa".

D'Arnot recordó que Clayton había descrito el siniestro y potente rugido con que Tarzán anunciaba sus victorias y sonrió, a pesar del horror que le producía el pensar que aquel grito procedía de una garganta humana y que esa garganta era la de su amigo.

Cuando el grupo estaba al borde de la selva tratando la mejor forma de distribuir las fuerzas, escucharon una risa que se acercaba a ellos y al volverse vieron una gigantesca figura que con un león muerto a cuestas se aproximaba.

Incluso D'Arnot estaba perplejo, porque parecía imposible que hubiera despachado al león en tan poco tiempo con las pobres armas de que disponía y que además, hubiera podido transportar él solo el enorme cuerpo a través de la maraña de vegetación.

Los hombres rodearon a Tarzán acosándolo a preguntas, pero él le quitaba importancia al hecho y se reía.

Le parecía lo mismo que si alabaran el valor de un carnicero por haber matado una vaca, porque Tarzán había matado tantas veces para comer y para subsistir que aquello no tenía nada de anormal. Pero a los ojos de aquellos hombres se había convertido en un héroe.

Había ganado diez mil francos, por la insistencia de D'Arnot en que no dudara en cogerlos.

Aquello fue bastante importante, pues empezaba a comprender el poder que tenían aquellos pequeños trozos de metal y papel que pasaban de mano en mano cuando los hombres viajaban, comían, compraban ropa, bebían, trabajaban o se protegían de la lluvia y del frío.

Tarzán vio claro que sin dinero uno no podía hacer nada. D'Arnot le había dicho que no tenía que preocuparse, porque él tenía de sobra para los dos, pero el hombre-mono estaba aprendiendo muchas cosas y una de ellas fue que la gente despreciaba a aquellos que aceptaban dinero de otros sin dar a cambio algo del mismo valor.

Poco después del episodio del león, D'Arnot consiguió fletar un viejo patache para hacer la travesía hasta la selva de Tarzán. El día que por fin soltaron amarras y se hicieron a la mar se sintieron mucho más animados.

El viaje no tuvo ningún contratiempo y a la mañana siguiente de su llegada Tarzán se vistió con sus ropas de la selva y llevando una pala se fue solo al anfiteatro de los monos a buscar el tesoro.

Al atardecer del día siguiente estaba de vuelta cargado con el voluminoso cofre, y al amanecer el pequeño velero salió de la bahía tomando rumbo al norte.

Tres semanas más tarde Tarzán y D'Arnot viajaban a bordo de un barco de pasaje francés con destino a Lión y después de pasar unos días en aquella ciudad D'Arnot llevó a Tarzán a París.

El hombre-mono estaba ansioso por continuar su viaje a América, pero D'Arnot insistió en que antes debía acompañarlo a París, pero sin decirle el motivo de su insistencia.

Una de las primeras cosas que D'Arnot hizo cuando llegaron a la capital fue concertar una entrevista con un alto funcionario de la policía, viejo conocido del oficial, para presentarle a Tarzán.

D'Arnot llevó diestramente la conversación en la dirección que le interesaba, hasta que el policía empezó a explicar al interesado Tarzán los modernos métodos de identificación e investigación criminal.

Una de las cosas que más llamaron la atención fué la parte referente a las huellas digitales y el importante papel que jugaban en aquella fascinante ciencia.

"No sé que valor pueden tener esas huellas", dijo Tarzán, "porque al cabo del tiempo las líneas de los dedos cambian y se desgastan por el uso de las manos".

"Las líneas nunca cambian", replicó el policía. "Desde el nacimiento a la ancianidad, las huellas digitales de un individuo no cambian más que de tamaño, o por una cicatriz. Pero si se han tomado las huellas de los cinco dedos de cada mano, uno tendría que perderlos todos para evitar ser identificado".

"Es fantástico", exclamó D'Arnot. "Me gustaría saber qué aspecto tienen las huellas de mis dedos".

"Eso podemos verlo pronto", replicó el policía, y apretando un timbre llamó a un ayudante al que dió unas órdenes.

El hombre salió de la habitación y volvió al poco tiempo con una pequeña caja de madera que dejó sobre la mesa de su superior.

"Bueno", dijo el policía, "ya está todo, dentro de un momento tendrán sus huellas".

De la caja sacó un rectángulo de cristal, un tubo de tinta de imprimir, un rodillo de goma y una serie de tarjetas en blanco.

Puso una gota de tinta sobre el cristal y la extendió con el rodillo hasta cubrir toda la superficie con una finísima capa de tinta.

"Ponga los cuatro dedos de la mano derecha sobre el cristal, así, monsieur D'Arnot. Ahora el pulgar. Eso es. Póngalos en la misma posición sobre esta tarjeta, no, un poco más a la derecha. Tenemos que dejar sitio para el pulgar y para los dedos de la mano izquierda. Eso es. Ahora haremos la misma operación con la mano izquierda".

"Animo, Tarzán", dijo divertido D'Arnot, "veamos cómo son tus dedos".

Tarzán accedió complacido y haciendo un montón de preguntas durante la operación.

"¿Se puede conocer la raza de una persona por sus huellas?", preguntó. "¿Saber, por ejemplo, si el individuo es negro o caucasiano?"

"No creo".

"¿Se diferencian las huellas de un mono de las de un ser humano?"

"Probablemente, porque las de un mono seguramente son mucho más simples que las del hombre".

"¿Si se diera el caso de un cruce entre un mono y un hombre, se verían las características de ambos progenitores?", volvió a preguntar Tarzán.

"Creo que eso sería lo más probable", respondió el policía, "pero la ciencia aún no está tan adelantada como para poder asegurar nada al respecto. Yo no me atrevo a confiar demasiado en ella, aparte de la identificación de individuos. Lo que es seguro es que no hay dos personas en toda la humanidad que tengan las mismas líneas en sus dedos. Y dudo mucho que se pueda falsificar una huella de otra persona".

"¿Es muy laboriosa la comparación de dos huellas?", preguntó D'Arnot.

"Normalmente es cuestión de minutos, si la impresión es clara".

D'Arnot sacó del bolsillo un pequeño libro negro y empezó a pasar las páginas.

Tarzán se quedó sorprendido de cómo había conseguido el francés su libro.

D'Arnot se paró en la página que tenía las cinco diminutas marcas.

Entregó el libro al policía.

"¿Son estas huellas parecidas a las mías o a las de Tarzán, o no se parecen a las de ninguno de los dos?"

El policía cogió de su cajón una potente lupa y examinó detenidamente los tres grupos de huellas tomando notas en un papel.

Tarzán comprendía ahora el objeto de la visita al comisario de policía.

El secreto de su nacimiento estaba tras aquellas diminutas marcas.

Tenía los nervios en tensión, pero de pronto se relajó y se reclinó sonriendo en la silla.

D'Arnot lo miró sorprendido.

"Olvidas que durante veinte años el cuerpecito del niño que puso esas marcas permaneció en la cabaña al lado de sus padres, y que su visión es uno de los primeros recuerdos de mi vida", dijo Tarzán con amargura.

El policía los miró con expresión de asombro.

"Puede continuar con su examen, comisario", dijo D'Arnot, "ya le contaremos el resto de la historia, si monsieur Tarzán está de acuerdo".

Tarzán asintió con un movimiento de cabeza.

"Estás completamente loco, amigo D'Arnot", insistió. "El pequeño propietario de esas huellas se encuentra enterrado en la costa occidental de Africa".

"Yo no estoy tan seguro de eso, Tarzán", replicó D'Arnot. "Es posible que sea como tú dices, pero si no eres el hijo de John Clayton, ¿cómo diablos llegastes a aquella selva infernal en la que ningún hombre blanco, con excepción de John Clayton, puso sus pies?"

"Te olvidas de Kala", dijo Tarzán.

"No, es que ni siquiera la tomo en consideración", replicó D'Arnot.

Los dos amigos se habían acercado hasta el gran ventanal desde donde se veía el bulevar. Permanecieron allí un rato mirando el tráfico inmersos en sus pensamientos.

"Lleva bastante tiempo comparar huellas", pensó D'Arnot, volviéndose a mirar al policía.

Se sorprendió al ver al comisario de policía recostado en la silla leyendo apresuradamente el pequeño diario.

D'Arnot carraspeó. El policía levantó la vista y al verlo puso un dedo sobre sus labios indicando que guardara silencio.

D'Arnot asintió y siguió mirando por la ventana,

poco después el policía los llamó.

"Caballeros", dijo.

Ambos se volvieron hacia él.

"Evidentemente hay mucho en juego que depende en mayor o menor grado de la absoluta certeza y corrección de la comparación que estoy haciendo. Por lo tanto les pido que dejen el asunto de mi cuenta hasta que vuelva nuestro experto, monsieur Desquerc. Es solamente cuestión de unos días".

"Tenía la esperanza de poder conocer el resultado inmediatamente", dijo D'Arnot. "Monsieur Tarzán sale mañana en barco para América".

"Le prometo que podrá telegrafiarle el resultado dentro de dos semanas", replicó el comisario. "No sé cuál puede ser, pero desde luego hay una gran semejanza. Bueno, será mejor dejar que lo resuelva monsieur Desquerc".

27. OTRA VEZ EL GIGANTE

Un taxi se paró delante de una antigua casa de las afueras de Baltimore.

Un hombre de unos cuarenta años, de constitución fuerte, descendió del coche y después de pagar la carrera despidió al taxi.

Poco después el pasajero entraba en el salón biblioteca de la antigua mansión.

"¡Ah, Mr. Canler!", exclamó un anciano, al tiempo que se levantaba para saludarlo.

"Buenas tardes, Profesor", dijo el hombre, extendiendo la mano.

"Quién le ha abierto?", preguntó el Profesor.

"Esmeralda".

"Entonces avisare a Jane de que está usted aquí", dijo el anciano.

"No, Profesor", replicó Canler, "porque he venido exclusivamente a verle a usted".

"¡Es un placer!", dijo el Profesor Porter.

"Profesor", siguió hablando Robert Canler, haciendo una pausa para dar la impresión de que calculaba muy bien lo que iba a decir. "He venido esta tarde a hablar con usted de Jane. Sabe cuales son mis aspiraciones, y le agradezco infinitamente que no se haya opuesto a ellas".

El Profesor Arquímedes Q. Porter se movió inquieto en su sillón. Aquel hombre lo hacía sentirse incómodo. No sabía por qué, pues Canler era un excelente partido.

"Pero no comprendo a Jane", continuó Canler, "por una razón u otra siempre está dando largas al asunto. Siempre tengo la impresión de que se siente aliviada cada vez que me despido de ella".

"No tiene por qué preocuparse, Mr. Canler ", dijo el Profesor Porter. "Jane es una hija obediente y hará lo que yo diga".

"¿Entonces sigo contando con su apoyo?", preguntó Canler con un tono de alivio en su voz.

"Ciertamente, amigo mío, ciertamente" exclamó el Profesor Porter. "No lo dude ni por un momento".

"Pero me preocupa la presencia del joven Clayton", dijo Canler. "Hace meses que anda rondando por aquí. No es que crea que Jane sienta nada por él; pero con su título y la fortuna que ha heredado de su padre, no me extrañaría que a la larga algo de eso sucediera a menos que..." y Canler hizo una pausa.

"Vamos, vamos, Mr. Canler; a menos... ¿qué?"

"A menos que usted ordene a Jane que nos casemos inmediatamente", dijo Canler marcando bien sus palabras.

"Ya le he dicho a Jane que sería aconsejable hacerlo", dijo el Profesor Porter apesadumbrado, "porque ya no podemos soportar mucho tiempo el mantener esta casa ni nuestras obligaciones sociales".

"¿Cuál fue su respuesta?", preguntó Canler.

"Dijo que aún no estaba preparada para casarse con nadie", replicó el Profesor Porter, "y que podíamos vivir en la granja que heredó de su madre al norte de Wisconsin. Es bastante productiva. Los arrendadores siempre han podido vivir holgadamente de ella y aún enviar algunos presentes todos los años. Está preparando las cosas para irnos allí a principio de semana. Mr. Philander y Mr. Clayton ya se adelantaron para poner las cosas en orden".

"¿Que Clayton está allí?", exclamó Canler, visiblemente molesto. "¿Cómo no me lo ha dicho antes? Pude haber ido yo mismo y ocuparme de que no les faltara nada".

"Jane cree que ya le debemos bastante, Mr. Canler", dijo el Profesor Porter.

Canler iba a responder cuando oyeron el ruido de pasos y al volverse vieron que Jane entraba en la habitación.

"¡Oh, perdón!", exclamó desde la puerta. "Creía que estabas solo, papá".

"Soy yo, Jane", dijo Canler, que se había puesto en pie. "¿No quieres pasar y unirte a nosotros? Estábamos hablando de ti".

"Sí, gracias", dijo Jane entrando y aceptando la silla que Canler ofrecía. "Solamente quería decirle a mi padre que Tobey vendrá mañana a embalar los libros, para saber los que no utilizará hasta el otoño. Por favor, papá, no te lleves toda la biblioteca a Wisconsi como querías hacer cuando fuimos a Africa".

"¿Estuvo Tobey aquí?", preguntó el Profesor Porter.

"Sí, acabo de dejarlo ahora mismo hablando con Esmeralda en la puerta de atrás".

"¡Tengo que verlo enseguida!", dijo el Profesor. "Perdónenme un momento", y el anciano salió de la habitación a toda prisa.

Tan pronto como salió de la habitación, Canler se dirigió a Jane.

"Hablemos claro, Jane", dijo bruscamente. "¿Cuánto va a durar este juego? No me has rechazado, pero tampoco me has dicho que te casarías conmigo. Quiero que consigas la licencia matrimonial mañana mismo, así podremos casarnos antes de salir para Wisconsin. Los ceremoniales no me preocupan y me imagino que a ti tampoco".

La joven se envaró, pero aguantó su mirada.

"Tu padre desea que lo hagas, ya lo sabes", añadió Canler.

"Sí, lo sé".

Ella hablaba en voz muy baja.

"¿Se da cuenta de que me está comprando, Mr. Canler?" dijo con voz pausada y sin expresión. "¿Que me compra por un puñado de miserables dólares? Sí claro que lo sabe, Robert Canler, y fué precisamente pensando en esa oportunidad por lo que le prestó a papá el dinero para una descabellada aventura que si no hubiera sido por un desgraciado incidente habría tenido éxito. Pero usted, Mr. Canler, hubiera sido el primero en sorprenderse. Usted no tenía ni la menor idea de que saldría bien. Es usted demasiado buen comerciante como para prestar dinero para buscar tesoros escondidos, o para prestar dinero, sin garantía alguna, a menos que tuviera a la vista algún objeto que le interesara. Usted sabía que sin garantías, tenía en sus manos el honor de los Porter. Sabía cuál era la mejor forma de hacer que yo me casara con usted sin aparentar forzarme. Nunca ha mencionado el préstamo. En otra persona hubiera pensado que se trataba de un acto de gentileza y magnanimidad. Pero en usted no, Robert Canler, le conozco mejor de lo que cree. Me casaré con usted si no me queda otra alternativa, pero quiero que esto quede claro de una vez por todas".

Mientras Jane hablaba, Robert Canler cambió de color varias veces, y cuando ella acabó de hablar él se puso en pié y con una sonrisa de cinismo dijo:

"Me sorprende usted, Jane. Creí que tenía más dominio de sí misma, más orgullo. Tiene razón, la estoy comprando, y sabía que usted lo sabía, pero creí que preferiría aparentar lo contrario. Me imaginé que su dignidad y orgullo le impedirían admitir que era una mujer comprada. Pero ese es ahora problema suyo, amigo mío". Y añadió: "lo único que a mí me interesa es que usted va a ser mía".

Sin decir una palabra más la joven abandonó la habitación.

Jane no se casó antes de partir con su padre para la pequeña granja de Wisconsin. Al despedirse de Robert Canler en la estación, él dijo que iría a visitarlos dentro de una o dos semanas.

Cuando llegaron a su punto de destino fueron recibidos por Clayton y Mr. Philander en un lujoso automóvil que pertenecía al primero y salieron rápidamente, atravesando las zonas boscosas del norte, hacia la pequeña granja que la joven no visitaba desde su infancia.

La casa, que estaba situada encima de una pequeña loma, a unos cien metros de la casa de los arrendadores, había sufrido un gran cambio en las tres semanas que Clayton y Mr. Philander estuvieron en ella.

El joven inglés había contratado un pequeño ejército de carpinteros decoradores, fontaneros y pintores de la ciudad y lo que al llegar no eran más que cuatro paredes casi en ruinas, se había convertido en una agradable vivienda de dos plantas con cuanta comodidad había sido posible instalar en tan poco tiempo.

"¿Qué es lo que ha hecho usted, Mr. Clayton?", exclamó Jane Porter con el corazón encogido pensando en el enorme gasto que suponía aquel arreglo.

"No diga nada", respondió Clayton, "qué no se entere su padre. Si no se lo dice ni se dará cuenta, y yo no podía soportar la idea de verlo vivir en el miserable agujero que Mr. Philander y yo encontramos al llegar. Es muy poco, Jane, en comparación con lo que me gustaría hacer por él. No le diga nada, prométamelo".

"Pero usted sabe que no podremos pagarle nunca", dijo la joven. "Esto supone para mí un terrible compromiso".

"No, Jane", dijo Clayton. "Si hubiera sido solamente por usted no me habría atrevido, créame, porque eso me hubiera rebajado ante sus ojos; ¡me daba pena ver al pobre anciano viviendo en la cueva que era esto antes! Hágame el favor de creerme y permítame por lo menos ese pequeño placer".

"Le creo, Mr. Clayton", dijo la joven. "Sé que usted es lo suficientemente generoso como para haberlo hecho por él. ¡Oh, Cecil, me gustaría poder pagarle como usted se merece y desea!"

"¿Por qué no puede, Jane?"

"Porque amo a otro".

"¿Canler?"

"No".

"Sin embargo, se va casar con él. El me lo ha dicho en Baltimore".

La joven suspiró.

"No lo amo", dijo ella casi con orgullo.

"¿Es por el dinero, Jane?"

Ella asintió.

"¿Entonces yo soy menos aceptable que Canler?

Tengo más dinero del que necesito", dijo con amargura.

"Yo no lo amo a usted, Cecil", contestó ella, "pero lo respeto. Si he de deshonrarme con una transacción así, prefiero hacerlo con alguien a quien ya desprecio; porque siempre despreciaré al hombre al que me vendo sin amor, quien quiera que sea. Usted será más feliz gozando de mi respeto y amistad que viviendo conmigo y mi desprecio".

No volvió a hablar del tema, pero si un hombre sintió alguna vez ansias de matar, ese fue William Cecil Clayton, Lord Greystoke, cuando una semana más tarde llegó Robert Canler a la cabaña en su rugiente seis cilindros.

Había pasado una semana; una semana tensa, aburrida e incómoda para los habitantes de la pequeña granja de Wisconsin.

Canler no dejó de insistir todo el tiempo en que Jane se casara con él inmediatamente.

Finalmente ella cedió, cansada del continuo e insoportable acoso de que era objeto.

Quedaron de acuerdo en que a la mañana siguiente Canler bajaría a la ciudad a buscar la licencia matrimonial y un ministro para la ceremonia.

Clayton pensó en marcharse tan pronto como conoció la noticia, pero la mirada triste e impotente de la joven se lo impidió. No podía traicionarla.

Aún podía suceder algo pensaba, tratando de consolarse. En su fuero interno sabía que no se necesitaba más que una pequeña chispa para que su odio por Canler se transformara en la sed de sangre del asesino.

Al día siguiente por la mañana Canler se fué a la ciudad.

En el este se divisaba el humo del incendio que se había iniciado en el bosque, no lejos de la granja, pero el viento estaba en calma y no parecía haber peligro.

Cerca del mediodía Jane salió a dar un paseo. No quiso que Clayton la acompañara. Quería estar sola, había dicho, y él respetó su deseo.

En la casa, el Profesor Porter y Mr. Philander estaban inmersos en la discusión de un complicado tema científico. Esmeralda dormitaba en la cocina, y Clayton, cansado por una noche de insomnio, se echó a descansar sobre un sofá de la pequeña sala y no tardó en dormirse.

Al este, las espirales de negro humo empezaron a hacerse más y más altas. De pronto se arremolinaron e iniciaron su avance hacia el oeste.

Se acercaban cada vez más rápidas. En la casa de los aparceros no había nadie, era día de mercado y estaban todos en la ciudad. Nadie vio avanzar al infierno en llamas.

Pronto el fuego cortó la carretera por el sur, anulando toda posibilidad de retorno. Por un momento el viento llevó el incendio hacia el norte, después volvió sobre sí mismo y las llamas se elevaron hacia lo alto como sostenidas por una gigantesca mano invisible.

Por el nordeste un potente coche negro se acercaba a toda velocidad, sorteando las curvas de la carretera.

Se paró en seco delante de la casa y un gigante de pelo negro saltó, dirigéndose con rápidas y largas zancadas al porche. Sin pararse un momento entró en la casa. Sobre el sofá dormía Clayton. El hombre lo miró sorprendido y de un salto se puso al lado del dormido.

Cogiéndolo por un hombro lo sacudió violentamente mientras gritaba:

"¡Por todos los cielos, Clayton? ¿Es que se han vuelto locos? ¿No saben que están prácticamente cercados por las llamas? ¿Dónde está Miss Porter?"

Clayton se puso de pie de un salto. No reconoció al hombre, pero comprendió lo que decía y salió corriendo al porche.

"¡Cielos!", gritó mientras volvía sobre sus pasos y entraba en la casa. "¡Jane! ¡Jane! ¿Dónde está?"

Inmediatamente Esmeralda, el Profesor Porter y Mr. Philander se reunieron con los dos hombres.

"¿Dónde está Miss Jane?", preguntó excitado Clayton cogiendo violentamente a Esmeralda por los hombros.

"¡Oh, Dios mío! Salió a dar un paseo, Mister Clayton"

"¿Aún no ha vuelto?" Y sin esperar más, Clayton salió al patio seguido de los otros.

"¿En que dirección se fue?", preguntó el gigante de pelo negro a Esmeralda.

"Por aquel camino", dijo la acongojada mujer, señalando hacia el sur que estaba oculto por una cortina de gigantescas llamas.

"Suba con esa gente al otro coche", dijo el forastero a Clayton, "y lléveselo hacia el norte. Dejaré mi auto aquí. Si encuentro a Miss Porter lo necesitaremos, y si no la encuentro no importa lo que pase. Hagan lo que les digo". Clayton se quedó perplejo al ver cómo la ágil figura se iba hacia el nordeste donde el fuego aún no había llegado.

Todos sintieron como si les quitaran una gran responsabilidad de encima; confiando en que si alguién podía salvar a Jane era ese desconocido.

"¿Quién era?", preguntó el Profesor Porter.

"No lo se", replicó Clayton. "Me llamó por mi nombre y conocía a Jane. También llamó a Esmeralda por su nombre".

"Había algo en él que me resultaba familiar", dijo Mr. Philander, "y sin embargo estoy seguro de no haberlo visto nunca".

"¡Es increíble!", dijo el Profesor Porter. "No sé quien es, pero tengo la impresión de que ahora Jane está a salvo".

"No sé por qué, Profesor", dijo Clayton, "pero yo también tengo el mismo extraño presentimiento".

"Pero démonos prisa", dijo de pronto, "nosotros también tenemos que salir de aquí antes de que sea demasiado tarde", y el grupo corrió hacia el coche de Clayton.

Cuando Jane se disponía a volver a casa, se alarmó al notar que el humo del incendio estaba mucho más cerca; entonces observó que las llamas avanzaban rápidamente cortándo el camino de regreso.

Finalmente se vio obligada a internarse por el bosque para tratar de ir hacia el oeste confiando en que así podría rodear el incendio y llegar a la casa.

No tardó mucho en darse cuenta de lo inútil de su intento y de que su única posibilidad estaba en volver sobre sus pasos hasta la carretera y correr hacia el sur en dirección a la ciudad.

Los veinte minutos que tardó en llegar de nuevo a la carretera fueron más de lo que le llevó al fuego cortar la retirada, tan efectivamente como le había cortado la posibilidad de seguir avanzando.

Después de una corta carrera se paró horrorizada, porque delante de ella se encontró con un muro de llamás. El fuego se había extendido en aquella dirección y le rodeaba como una ardiente tenaza.

Jane comprendió que era inútil tratar de abrise camino a través del bosque.

Ya lo había intentado antes sin éxito. Se daba cuenta de que era cuestión de minutos que el lugar en que se encontraba se convirtiera en una masa de fuego.

Resignadamente la joven se arrodilló en la carretera y rezó para afrontar su fin con valor y por la salvación de su padre y amigos.

De pronto oyó que la llamaban por su nombre desde el bosque:

"¡Jane! ¡Jane Porter!" Era una voz potente y extraña.

"¡Aquí estoy!", contestó ella. "¡En la carretera!"

Entonces vio a un hombre que se movía por entre las ramas de los árboles con la facilidad de una ardilla.

Una ráfaga de aire interpuso una cortina de humo entre ellos y dejó de ver al hombre que se dirigía hacia ella. Inesperadamente sintió la presión de un musculoso brazo en su cintura. Después fue levantada en vilo y notó el roce ocasional de alguna rama y el beso del aire en su rostro.

Abrió los ojos.

Por debajo veía el suelo distante y los arbustos, a su alrededor las ramas y hojas de los árboles.

El gigante fue saltando de un árbol a otro, y Jane tuvo la sensación de estar reviviendo en sueños la experiencia vivida en la selva africana.

¡Oh, si fuera el mismo hombre que la había transportado tan suavemente por entre la espesura de la selva aquella vez! Pero eso era un imposible. Sin embargo, ¿qué otra persona en el mundo tenía la fortaleza y agilidad necesarias para realizar lo que estaba haciendo su salvador?

Miró por el rabillo del ojo la cara del hombre y dió un respingo de sorpresa. ¡Era él!

"¡Mi hombre de la selva!", dijo. "No es posible! ¡Debo de estar delirando!"

"Si, Jane Porter, tu hombre. Tu hombre salvaje y primitivo que salió de la selva a buscar a la compañera que escapó de él", gritó Tarzán con ferocidad.

"No me escapé", dijo ella en voz baja. "Acepté marchar después de esperar una semana sin que aparecieras".

Ya habían sobrepasado la zona incendiada y salieron del bosque.

Se dirigieron andando a la casa. El viento había vuelto a variar y el fuego estaba retrocediendo. Si el viento seguía en aquella dirección una hora más el incendio se extinguiría.

"¿Por qué no volviste?", preguntó Jane.

"Estuve cuidando a D'Arnot. Estaba muy malherido".

"¡Eso fue lo que yo les dije a los otros!", exclamó ella. "Decían que habías ido a unirte a los negros porque debías de pertenecer a la tribu".

Tarzán se rió.

"¿Tú los creíste, Jane?"

"No... ¿Cómo he de llamarte?", preguntó. "¿Cuál es tu nombre?"

"Cuando me conociste era Tarzán de los Monos", dijo él.

"¡Tarzán de los Monos!", exclamó ella. "Y la nota que contesté era tuya".

"Sí. ¿Quién creías que era?"

"No lo sé, solamente sabía que no podía ser tuya, porque Tarzán de los Monos escribía inglés y tú no comprendías una palabra de ninguna lengua".

El volvió a reír.

"Es una larga historia, que fui yo el que escribió lo que no podía hablar, y D'Arnot ha complicado las cosas enseñándome a hablar el francés en vez de inglés.

"Vamos", añadió, "sube al coche, tenemos que alcanzar a tu padre y a los otros, no nos llevan mucha ventaja".

Por el camino dijo:

"Decías en tu nota a Tarzán de los Monos que amabas a otro. ¿Te referías a mí?

"Es posible", murmuró ella.

"Te he estado buscando por todo Baltimore, y me enteré de que quizás a estas alturas ya estuvieras casada, porque un hombre llamado Canler había venido hasta aquí para la boda. ¿Es eso cierto?"

"Sí".

"¿Lo amas?"

"No".

"¿Me amas a mí?"

Ella escondió la cara entre las manos.

"Estoy prometida a otro. No puedo contestarte a eso, Tarzán de los Monos".

"Ya me has contestado. Ahora dime ¿Por qué te vas a casar con él si no lo amas?"

"Mi padre le debe dinero".

De pronto a Tarzán le vino a la memoria la carta que había leído, y el nombre de Canler y un problema que se insinuaba relacionado con el dinero. Ahora comprendía.

Sonrió.

"¿Si tu padre no hubiera perdido el tesoro, te sentirías forzada a mantener tu promesa con ese Canler?"

"Podría pedirle que me liberara de ella".

"¿Y si se negara?"

"Estoy prometida".

El calló un momento. El coche seguía velozmente su marcha, porque el fuego se veía amenazante a su derecha y un cambio en la dirección del viento podía cortar aquella única vía de escape.

Cuando sobrepasaron la zona de peligro, Tarzán redujo la velociad.

"¿Qué pasaría si se lo pidiera yo?", probó a decir Tarzán.

"No creo que hiciera mucho caso a la petición de un extraño", dijo la joven. "Especialmente si ese extraño me quiere para él".

"Terkoz lo hizo", dijo Tarzán siniestramente.

Jane se estremeció y miró aterrada a la gigantesca figura que se sentaba a su lado, porque sabía que se refería al gran antropoide que él había matado por defenderla.

"Esta no es la selva africana. Ya no eres una fiera salvaje. Ahora eres un caballero, y los caballeros no matan a sangre fría".

"En el fondo sigo siendo una fiera", dijo como en un gruñido y hablando para sí.

Volvieron a guardar silencio.

"Jane", dijo por fin el hombre. "¿Si fueras libre te casarías conmigo?"

Ella no contestó en el momento, pero él esperó pacientemente.

La joven estaba tratando de ordenar sus pensamientos.

¿Qué sabía ella sobre aquella extraña criatura que se sentaba a su lado? ¿Qué sabía él de sí mismo? ¿Quién era? ¿Quiénes eran sus padres?

Ni siquiera tenía nombre. ¿Podría ser feliz con aquel hijo de la selva? ¿Podría llegar alguna vez a tener algo en común con un esposo que había pasado su vida subido a los árboles de la selva africana, retozando y peleando con los grandes antropoides; desgarrando con sus fuertes dientes la carne del cuerpo aún palpitante de su presa y masticando la carne cruda; tratando de evadirse, con su ración entre los dientes, del acoso de sus compañeros que querían robarle su parte?

¿Podría llegar él alguna vez a relacionarse con la clase

social? ¿Podría ella soportar descender a la de él? ¿Podría llegar a ser feliz con una alianza tan desigual?

"No me contestas", dijo él. "¿Tienes miedo a herirme?"

"No sé qué contestarte", replicó Jane tristemente. "Ni siquiera sé qué pensar".

"¿Entonces no me amas?", preguntó él bajando el tono de voz.

"No me preguntes. Serás más feliz sin mí. Tu no estás hecho para las restricciones y los convencionalismos sociales; la civilización te resultaría insoportable y no tardarías mucho en añorar la libertad de tu vida anterior. Una forma de vida a la que yo nunca podría adaptarme".

"Creo que te comprendo", contestó Tarzán suavemente. "No voy a insistir, porque prefiero verte feliz con otro que desgraciada conmigo. Veo que nunca serías feliz con un mono".

Había un ligero tono de amargura en su voz.

"No", objetó ella. "No digas eso. No me comprendes".

Pero no pudieron seguir hablando, al tomar una curva se encontraron en medio de un pequeño grupo de casas.

Allí estaban Clayton y los otros esperando al lado del coche.

28. CONCLUSION

Al ver llegar a Jane se oyeron exclamaciones de alivio y alegría; Tarzán freno el coche, y el Profesor Porter cogió a su hija entre sus brazos.

Al principio nadie se fijo en Tarzán, que seguía sentado silencioso al volante.

Clayton fue el primero en acordarse de él y dando la vuelta le tendió su mano.

"¿Cómo podremos agradecérselo?", exclamó. "Acaba de salvarnos la vida. Usted parece saber mi nombre, pero yo no consigo recordar el suyo, aunque su presencia no me resulte del todo desconocida. Es como si le hubiera conocido hace mucho tiempo en otras circunstancias".

Al estrecharle la mano Tarzán sonrió.

"Tiene usted razón, monsieur Clayton", dijo en francés. "Perdone que no le hable en inglés, estoy empezando a aprenderlo, y aunque comprendo bastante bien, lo hablo muy mal".

"¿Pero quién es usted?", insistió Clayton hablando en francés.

"Tarzán de los Monos".

Clayton retrocedió sorprendido.

"¡Por todos los cielos!", exclamó. "Es cierto"

El Profesor Porter y Mr. Philander se aproximaron para unirse a Clayton en su agradecimiento y expresar su sorpresa y alegría al ver a su amigo de la selva, tan lejos de su primitivo hogar.

El grupo entró en el modesto parador, y Clayton hizo los preparativos para la estancia.

Estaban sentados en el pequeño salón comedor cuando oyeron el motor de un automóvil que se acercaba.

Mr. Philander, que estaba sentado al lado de la ventana, miró a tiempo de ver llegar el coche que aparcó al lado de los otros.

"¡Condenación!", dijo Mr. Philander sin poder disimular su desagrado. "Es Mr. Canler. Esperaba que... bueno, creí... esto, me alegro que se haya librado del incendio", explicó confuso.

"Mr. Philander, muchas veces aconsejo a mis alumnos que cuenten hasta diez antes de hablar", dijo el Profesor Porter, "pero si yo fuera usted contaría hasta mil y me quedaría callado".

"¡Caramba!", dijo ahora Mr. Philander. "¿Pero quién es el que viene con él? Parece un clérigo".

Jane se puso pálida.

Clayton se movió incómodo en su silla.

El Profesor Porter se ajustó nerviosamente las gafas, y las dejó igual que estaban.

La omnipresente Esmeralda gruñó.

El único que no comprendió lo que pasaba fué Tarzán.

Robert Canler irrumpió en la habitación.

"¡Gracias a Dios!", dijo en voz alta. "Me temí lo peor hasta que vi el coche de Mr. Clayton. Quedé atrapado en la parte sur de la carretera, tuve que volver a la ciudad y dar un gran rodeo. Creí que no llegaría a tiempo".

Nadie pareció compartir su entusiasmo. Tarzán observaba a Robert Canler como Sabor mira a su víctima.

Jane miró hacia él y carraspeó ligeramente.

"Mr. Canler", dijo, "Este es Monsieur Tarzán, un viejo amigo".

Canler se volvió y extendió su mano. Tarzán se puso en pie e hizo una ligera reverencia como le había dicho D'Arnot que tenía que hacer un caballero, pero ignoró la mano de Canler.

Canler tampoco pareció darse cuenta de la falta.

"Este es el Reverendo Mr. Tousley, Jane", presentó Canler al clérigo. "Mr. Tousley, Miss Porter".

Mr. Tousley saludó sonriente.

Canler lo presento al resto de los presentes.

"Podemos celebrar la ceremonia inmediatamente, Jane", dijo Canler. "Así nos darán tiempo de tomar el tren de la noche".

Tarzán comprendió todo al instante. Miró con los ojos entrecerrados a Jane, pero no se movió.

La joven dudó. La habitación estaba en silencio y se notaba una gran tensión en el ambiente.

Todas las miradas se volvieron hacia Jane, esperando su respuesta.

"¿No podemos esperar un par de días?", preguntó la joven. "Hoy estoy muy excitada, después de todo lo que pasó".

Canler percibía la hostilidad de todos y cada uno de los congregados. Eso le desagradaba sobremanera.

"Ya he esperado todo lo que había que esperar", dijo bruscamente. "Has prometido casarte conmigo y ya estoy harto de tus juegos. Tengo la licencia matrimonial y el ministro. Adelante, Mr. Tousley, vamos Jane. Hay testigos de sobra", y tomando con violencia a Jane Porter del brazo la llevó casi arrastrando hacia el clérigo.

No habría dado ni dos pasos cuando una pesada mano se cerró sobre su brazo como una tenaza de acero. Otra mano se posó alrededor de su garganta y de pronto se vio zarandeado en el aire como un pelele.

Jane se volvió horrorizada hacia Tarzán.

Al mirarlo a la cara vió la marca roja que le cruzaba la frente igual que aquella vez en la lejana Africa, cuando Tarzán de los Monos luchara a muerte con el gran antropoide Terkoz.

Sabía que en aquel salvaje corazón anidaba la muerte y dando un grito de horror se abalanzó para interceder ante el hombre-mono. Pero en realidad su miedo era más por Tarzán que por Canler. Pues sabía el fin que la justicia reservaba a los asesinos.

Antes de llegar, Clayton ya estaba al lado de Tarzán intentando liberar a Canler de su angustiosa situación.

De un golpe, el inglés fue lanzado a traves de la habitación; entonces Jane puso una mano en la muñeca de Tarzán y mirando a sus ojos dijo:

"Hazlo por mí".

La presión sobre la garganta de Canler se aflojó.

Tarzán miró la hermosa cara que tenía delante.

¿Quiéres que siga viviendo?", preguntó sorprendido.

"No quiero que muera en tus manos", replicó ella. "No deseo que te conviertas en un asesino".

Tarzán soltó la garganta de Canler.

"¿La liberas de su promesa?", preguntó, "es el precio de tu vida".

Tratando de recobrar la respiración Canler asintió.

"¿Te vas a ir dejándola tranquila para siempre?"

El hombre volvió a asentir con la cabeza, aún crispado por el miedo mortal que había pasado.

Tarzán lo soltó. Canler se fue tambalenado hacia la puerta y desapareció acompañado del aterrorizado clérigo.

"¿Puedo hablar a solas un momento contigo?", preguntó Tarzán a Jane.

La joven asintió y se encaminó hacia el pequeño porche del hotelito. Salió antes que Tarzán y por eso no pudo oír la conversación que siguió.

"Un momento", dijo el Profesor Porter cuando Tarzán iba a salir.

El Profesor se había quedado paralizado con la sorpresa por el rápido desarrollo de los acontecimientos.

"Antes de nada, señor, me gustaría que me diera una explicación sobre lo sucedido. ¿Con qué derecho se ha entrometido usted entre mi hija y Mr. Canler? Yo le había prometido la mano de Jane, e independientemente de si nos gusta o no, señor, las promesas hay que cumplirlas".

"Me interpuse, Profesor Porter", replicó Tarzán, "porque su hija no ama a Mr. Canler; no desea casarse con él. Para mí eso es más que suficiente".

"Usted no sabe lo que ha hecho", dijo el Profesor. "Seguro que ahora ya no querrá casarse con ella".

"Estoy convencido de ello", contestó Tarzán y añadió: "Y es más, usted no tiene que preocuparse de que su reputación sufra ningún quebranto, Profesor Porter, porque podrá pagarle a Canler lo que le debe tan pronto como llegue a casa".

"¿Qué es lo que dice, señor?"

"Hemos recuperado el tesoro", dijo Tarzán.

"¿Cómo! ¡Qué está diciendo!", exclamó el Profesor, "¡eso no es posible".

"Lo es. Fui yo quien lo cogió, sin saber ni su valor ni a quién pertenecía. Vi a los marineros cuando lo enterraron, yo los imité y lo enterré en otro lugar. Cuando D'Arnot me contó la historia y lo que esto significaba para usted, volví a la selva y lo recuperé. Ya hubo tantos crímenes y sufrimientos por su causa que D'Arnot creyó conveniente no intentar hacer la travesía con él, como era mi intención, y en su lugar le traigo una carta de crédito. Esta es, Profesor Porter". Tarzán sacó un sobre del bolsillo y se lo entregó al asombrado Profesor. "Doscientos cuarenta y un mil dólares. El tesoro fue muy admirado por los expertos, pero por si le interesa le diré que D'Arnot lo compró y lo tiene a buen seguro para usted, en caso de que prefiera el tesoro en vez del crédito".

"Señor, esto aumenta aún más la deuda de gratitud que tenemos con usted", dijo el Profesor Porter con voz temblorosa. "Me ha proporcionado el medio de salvar mi honor".

Clayton, que había salido poco después que Canler, volvió a entrar y observó.

"Perdonen, creo que será mejor intentar llegar a la ciudad antes de que se haga de noche para tomar el primer tren que nos lleve lejos de este bosque. Uno de los del pueblo que acaba de llegar de la zona norte dice que el fuego viene en esta dirección".

La noticia cortó la conversación y el grupo se dirigió a los coches.

Clayton, Jane, el Profesor y Esmeralda subieron al coche del primero, y Mr. Philander subió al coche de Tarzán.

"¡Diantre!", exclamó Mr. Philander cuando el coche se puso en marcha. "¡Parece imposible! La última vez que lo vi era usted un auténtico salvaje arborícola de la selva tropical africana, y ahora me lo encuentro conduciendo por una carretera de Wisconsin en un automóvil francés ¡Esto es increíble!"

"Sí", asintió Tarzán y después de una pequeña pausa dijo: "¿Mr. Philander, recuerda usted algunos detalles del descubrimiento y entierro de los esqueletos que había en la cabaña de la selva?"

"Sí, señor, me acuerdo perfectamente", replicó Mr. Philander.

"¿Había algo peculiar en alguno de los esqueletos?"

Mr. Philander miró detenidamente a Tarzán.

"¿Por qué lo pregunta?"

"Puede ser muy importante para mí", replicó Tarzán. "Su respuesta puede aclarar un misterio. Y en ningún caso va a hacer más daño que el dejar que el misterio continúe existiendo. Ultimamente he empezado a hacerme ciertas cávalas sobre los esqueletos, y me gustaría que respondiera a mi pregunta tan exactamente como pueda ¿Eran todos los esqueletos humanos?"

"No", contestó Mr. Philander, "el más pequeño, el que estaba en la cuna, era el esqueleto de un mono antropoide".

"Gracias", dijo Tarzán.

En el coche que iba delante, Jane iba tratando de pensar a toda prisa. Había comprendido el motivo por el que Tarzán quería hablar a solas con ella, y sabía que debía de estar preparada para darle la respuesta a no tardar mucho.

El hombre de la selva no era de ese tipo de personas que se podían eludir fácilmente, y en su mente se abrió la idea de que quizás le temía.

¿Cómo podía amarle si le temía?

Se dio cuenta de que en la selva había estado en cierto modo bajo la influencia de un hechizo, pero en el prosaico Wisconsin no había hechizos.

El inmaculado joven francés no ejercía sobre su primitivo espíritu de mujer la misma atracción que el hercúleo dios de la selva.

¿Lo amaba? No lo sabía.

Miró a Calyton por el rabillo del ojo. Allí había

un hombre educado en el mismo ambiente que ella; un hombre con una posición social y una cultura del tipo que ella había aprendido a considerar como esencial para una buena relación.

Su sentido común la empujaba hacia este joven noble inglés, cuyo sentido del amor era el que toda mujer civilizada deseaba ¿No sería él compañero ideal?

¿Amaba a Clayton? No veía ninguna razón para no hacerlo. Jane no era una mujer naturalmente fría y calculadora, pero la educación, el ambiente y la herencia se habían combinado para enseñarla a razonar incluso en materias del corazón.

El haber sido deslumbrada por la fuerza de aquel joven gigante en la selva africana primero, y hoy otra vez en el bosque, lo atribuyó a un momento de ceguera mental; a la atracción primaria sobre su subsconsciente primitivo.

Si él no volvía a tocarla, razonó, no volvería a sentirse atraída por él. Ella realmente nunca lo había amado. No había sido más que un deslumbramiento pasajero, reforzado por una situación de tensión y por el contacto físico.

La tensión no sería lo que marcara su relación futura en caso de casarse, y la fuerza del contacto físico disminuiría con la familiaridad.

Volvió a mirar a Clayton. Era muy atractivo y un caballero en toda la extensión de la palabra. Un marido como él la haría sentirse orgullosa.

Entonces habló él; un minuto antes o un minuto después hubiera cambiado completamente tres vidas, pero Clayton tuvo la oportunidad de acertar en el momento psicológico apropiado.

"Ahora es usted libre, Jane", dijo. "Dígame que sí y dedicaré mi vida a hacerla feliz".

"Sí", susurró ella.

Aquella tarde en la pequeña sala de espera de la estación, Tarzán habló un momento a solas con Jane.

"Ahora eres libre, Jane. Y yo he viajado a través del tiempo, desde el remoto y primitivo pasado del hombre prehistórico en tu busca; por ti he cruzado continentes y océanos; por ti haré lo que sea. Te haré feliz en este mundo que tanto amas. ¿Quiéres casarte conmigo?"

Por primera vez ella se dió cuenta de la autenticidad del amor de aquel hombre; todo lo que había conseguido en tan poco tiempo era sólo por amor a ella. Volviendo la cabeza la ocultó entre sus manos.

¿Qué había hecho? Por temor a ceder a las ruegos de ese gigante había quemado sus naves; por temor a cometer un error, había provocado una catástrofe.

Entonces contó todo; le dijo la verdad sin ocultar ni una palabra, sin tratar en ningún momento de disculparse.

"¿Qué podemos hacer?", preguntó él. "Has confesado que me amas y sabes que yo te amo; yo no conozco las normas por las que se rigen los hombres civilizados. Te dejo que decidas tú, porque sabrás mejor lo que has de hacer por tu felicidad"

"No puedo decírselo a él, Tarzán", dijo ella. "El también me ama y es un hombre bueno. Nunca podría volverte a mirar a la cara, ni a tí ni a ninguna persona honesta si rompiera mi promesa con Mr. Clayton. Tengo que cumplirla —y tú tienes que ayudarme a hacerlo aunque no volvamos a vernos más".

Los otros estaban entrando en la sala de espera y Tarzán se puso a mirar por la ventana.

Sin ver nada en su interior se imaginaba un lugar cubierto de blanda hierba rodeado de una maraña de plantas tropicales y flores, más arriba se veía el follaje de los gigantescos árboles y, cubriéndolo todo, el azul de un cielo tropical.

En el centro de la parcela había una mujer joven sentada sobre un montículo de tierra, a su lado estaba un joven gigante. Comían frutos jugosos y se miraban a los ojos y sonreían. Eran felices y estaban completamente solos.

Sus pensamientos fueron interrumpidos por la llegada del telegrafista de la estación que entró preguntando si había allí un caballero llamado Tarzán.

"Yo soy Monsieur Tarzán", dijo el hombre-mono.

"Tienes aquí un cable transmitido desde Baltimore, procede de París".

Tarzán cogió el sobre y lo abrió; era de D'Arnot y decía:

Huellas demuestran eres Greystoke. Felicidades.

D'Arnot

Cuando Tarzán acabó su lectura entro Clayton con la mano extendida.

Allí estaba el hombre que usurpaba su título y sus posesiones, y que además se iba a casar con la mujer que Tarzán amaba. ¡Con la mujer que amaba a Tarzán! Una sola palabra y la vida de aquel hombre cambiaría radicalmente.

Perdería el título, las tierras y los castillos, pero también los perdería Jane Porter.

"¡Hola, amigo!", exclamó Clayton, "No tuve oportunidad hasta ahora de agradecer lo que has hecho por nosotros. Parece ser que su ocupación principal es salvarnos la vida, tanto en Africa como aquí. Me alegra enormemente que haya venido. Tenemos que vernos más a menudo. Pensé muchas veces en usted y en las extrañas circunstancias de su vida. Dirá usted que no me importa, pero me gustaría preguntar cómo llegó usted a aquella horrible selva".

"Nací allí", dijo Tarzán sin inmutarse. "Mi madre fue una mona y, como comprenderá, no pudo contarme demasiadas cosas. Nunca supe quién fue mi padre".

INDICE